Con Cariño mi amor
con todo mi amor
a Patricio Pinel
de su amiga

Maroc Mdez

1

No Fuiste Tú, Fui Yo

María de la Luz Gutiérrez

ISBN: 978-1-7368650-8-8
Diseño de portada
Valerie I Suárez
visuarez02@gmail.com
Hecho en U.S.A

AGRADECIMIENTO

Agradezco a mi amado Padre Dios Todopoderoso, por su apoyo en este proceso tan difícil en mi vida, sé que Él siempre me sostuvo, que nunca estuve sola.

A los ángeles del cielo que me cuidaron en los momentos más peligrosos y velaron mi sueño.

A mi mamá que fue mi guía con su verdad, amor y cariño, apoyándome para salir adelante.

A mis hijos por todo el amor apoyo y paciencia especialmente Valerie que siempre estuvo como águila, al pendiente de mí.

A mi hijo Miguel que siempre confió en mí, y sentí su amor incondicional.

A mi Abigail, que me sorprende por su individualidad, independencia, amor por la vida, y me dejó ser.

A mis hermanos/a que les dolió mi separación y mantuvieron una distancia de respeto cordial para mi bienestar familiar. Gracias por su apoyo moral. Los amo, somos dignos Gutiérrez llenos comprensión y amor.

A mis amigas de la secundaria Martha, Estela y Carmen por su apoyo incondicional, especialmente a Estela por su paciencia y comprensión.

A Chicas Mom, Inc. por su apoyo y confianza. Cuando alguien confía en que puedes hacer las cosas bien, desarrollas tu asertividad al 100 % y tu espíritu sabe para que fue hecho... para brillar al máximo y dar lo mejor de el.

A Kobe Bryant por su arduo trabajo que me inspiró.

DEDICATORIA

Este libro se lo dedico a mi papá que está en el cielo. Le doy las gracias por ser mi padre. Sé que, aunque ya está en otro plano, sigue al pendiente de mi, como lo estuvo siempre.

Estoy agradecida con Dios porque me dio la oportunidad de despedirme de él. Un compromiso familiar me impedía asistir a visitarlo en esos días, pero algo me dijo que necesitaba estar con él, así que suspendí el compromiso y fui con él.

¡Era la última vez que lo iba a ver! Todo el tiempo sentí una sensación extraña, que me hacía tener presente cada momento que vivía con él.

De mi padre podría contarles muchas cosas, pero me gusta recordar los momentos que junto a él disfruté, por lo que les voy a contar una anécdota divertida:
Quería ir a la Villa, donde está la Basílica de Guadalupe, a ver a mi amiga Maru y mi papá me dijo que no fuera. Le dije: "Apá, pero ¿cómo no voy a ir? y me respondió: "aquí no estas en Estados Unidos! y la única manera en la que vas a ir es que te lleve yo."

Me causó mucha risa, y le dije que yo ya no era una niña, pero al mismo tiempo pensé que para él yo seguía siendo su niñita y quería protegerme, entonces, si eso le daba paz, porque no dejar que me llevara, así que nos fuimos en el taxi.

En el camino se me ocurrió tomarnos una foto y me reí mucho en ese momento, cuando nos tomamos la última selfi, ya en la Villa salimos del taxi, caminamos un rato y toqué su mano. Pude sentir y ver su piel gastada, lo tomé por su brazo y seguimos caminando.

Creo que en esa ocasión él se estaba despidiendo de mi, porque me dio varios encargos. Le dije: "pero Apá, si todavía nos falta ir a Cuba! El me miró y dijo ¡no! ...! ya no! En ese momento no lo entendí; pero ahora lo sé.

Cuando me venía de regreso a E.U. el no durmió, estuvo pendiente para que no se me fuera hacer tarde, porque iba a volar de madrugada. Estuvimos dos horas antes de la hora indicada en el Aeropuerto. Cuando nos despedimos en la entrada, tomé su mano, le di un suave beso en la mejilla, me despedí de él, y pensé: "quiero recordar este momento como si fuera la última vez", y así fue.

Él Sabía que estaba escribiendo este libro y me decía, *"María, pero cuando lo vas a terminar"* yo le decía pronto espero que muy pronto, tuve muchos contratiempos y cuando hablaba a México no quería que el me preguntara, solo le quería dar la sorpresa de que el libo ya estaba terminado, pero, la sorpresa me la llevé yo, pues pensé que tenía todo el tiempo del mundo y ¡no!, se atravesó la pandemia y se fue mi papá al cielo.

Ahora lo termino, y le dedico a él todo el esfuerzo y mi triunfo. Sé que tengo su bendición y amor desde el cielo.

Cuando me di cuenta de que Dios me había dado la oportunidad de despedirme de mi papá, me sentí conforme con su partida.

A lo mejor tú que estás leyendo, no pudiste despedirte de un ser querido y aún te duele su partida, pero quiero decirte que el cielo y la tierra son uno, no hay límites ni fronteras. Puede ser que ya no lo puedes ver, pero lo puedes sentir, así que sé positivo y manifiesta amor para sentirte conforme al dejarlo ir. Entonces vas a poder hablar con tus seres queridos que están presentes desde otro plano, porque te pueden oír. Despídete de ellos con amor y permite que se vayan en paz.

"Apá, sé que me escucha desde el cielo y le mando un abrazo y un beso con todo mi amor hasta allá donde está y le digo que lo amo. Sé que soy su versión femenina, porque nos parecíamos tanto en el carácter y por supuesto, en lo guapos. Lo quiero y lo amo Apá, hasta luego.

INTRODUCCIÓN

 No Fuiste Tú, Fui Yo

Es un libro hecho para los que sufrimos una ruptura amorosa, un divorcio. ¡Una perdida emocional! Este proceso en algún momento, lo hemos experimentados.

Cuando salimos al amor, tenemos expectativas muy altas y andamos buscando el prospecto ideal que se ajuste a nuestra personalidad y tenga gustos similares a los nuestros. Cuando es la época del noviazgo todo es comprensión y dulzura, es la etapa de enamoramiento que puede durar hasta tres años, cuando pasa esa energía, ese amor se transforma en algo más sólido y se compenetra más; la persona se muestra tal cual es, sin máscaras para agradar.

Para quien solo buscaba disfrutar de la etapa del enamoramiento esto no es tan doloroso, pues cuando esta etapa se termina, simplemente se retira y se va. Aquí es donde empieza el dolor para la persona que amo más, se entregó y perdió más, porque se hizo altas expectativas que le parecían validas por lo que reflejaba la relación al principio.

Además de mi experiencia, en un estudio de campo que realicé para poder escribir este libro, cuando se ama de verdad, la ruptura duele lo mismo a cualquier edad, puede ser de 13 años a 80 años. No importa si eres novia, o esposa. El amor es amor y tiene tu esencia e intensidad.

Cuando estas en un dolor profundo, te dejas llevar por la emoción y te hundes en un caos de ideas, pensamientos y sentimientos que te arrasan, hundiéndote en una depresión que paraliza tu vida, de la cual puede llevar años recupérate y en algunos casos, toda la vida.

Esto me hizo reflexionar y escribir sobre el proceso emocional de mi divorcio. Pasé mucho tiempo sumergida en el dolor, mientras más pensaba, más me hundía en el fango de la depresión: cuando estás en ese estado emocional, no le haces caso a tu lógica, o profesión… solo quieres vivir en el dolor; el cuerpo se acostumbra a todo, te vuelves adicta a la emoción del dolor y te adaptas a ser "la sufrida".

Me di cuenta de que estaba en esta situación y tomé terapia, además de las prácticas de sanación de hipnoterapia que practico hasta hoy día, las cuales me liberaron más rápido de lo que yo esperaba.

Tomaba una emoción y no la soltaba hasta verme liberada. Hice mi trabajo de campo y me di cuenta de cuanta gente se encuentra atrapada en una situación emocional parecida o igual y necesitan esta información.

En mi caso, pasé por esto sola, sentía que estaba atrapada en un laberinto de emociones terribles y quería que alguien me ayudara, pero sentía que no entendían mi dolor, por lo que me cerraba.

Si estás atravesando por una situación así, quiero decirte que Yo sí entiendo tu dolor, que no estás sola/o, y que vas a salir con triunfo de esta crisis.

TE MARCHASTE SIGILOSAMENTE

¡No me despedí de ti!
Si hubiera sabido que te iba a perder...
lo hubiera hecho...

A aquel hombre que me hizo muy feliz
y que se enamoró de mí,
le hubiera dado las gracias
porque me enseñó a vivir un romance
que jamás imaginé,
llenó mi vida con detalles,
atenciones y caricias
que me hicieron alcanzar el cielo.

El amor me enseñó
a acariciar las nubes
volando con el viento,
bailar bajo la lluvia,
sentir los rayos del sol
acariciar mi pelo.

Me hizo sentir la más bella,
como una joya especial,
me sentí como las flores
llenas de color,
su voz me susurró palabras bellas
que me hacían entrar en un mundo

lleno de amor,
que solo era para mí.

Me hizo disfrutar con su ternura
y delicadeza, me sentía soñada,
valorada y protegida,
porque me daba lo mejor de él.

El amor es bello,
pero hay que saberlo vivir
y aceptar cuando se termina,
porque, así como aparece,
un día, también se esfuma.

¿Quién cautivó tu mirada?
¿Dónde estás?
Me dan celos saber
que ya no te tengo...
que te fuiste y te llevaste parte de mí...
no me encuentro
y estoy vagando a la deriva.

¡Ya te perdí! me siento sola,
mi amor llora, llora sin ti...
¿Por qué me dejaste?
¿Qué va a ser de mí sin ti?

ME ENCONTRÉ

Mi alma anda sin ti...
te busca con la mirada,
pero ya no estás alma mía.
Veo tu rostro
y busco en tus ojos algo de mí,
pero no queda nada... nada de mí.

Mi alma triste se da cuenta que ya te perdí.
Te perdí para siempre,
¿qué va a ser de mí?
Llega la noche... noches oscuras...
frías y largas, largas y frías sin ti.
Me cobijo sola, ¡ya no estás aquí!

Extiendo mi brazo, busco tu hombro,
mi mano se pierde, nunca te encuentro,
me envuelvo en mi pena,
no encuentro consuelo.

Lloro en las noches,
y le digo a mi alma que ya se conforme
que ya te perdí y no vas a venir.
Pasan y pasan los días y las noches,
la soledad me embarga,
el frío me envuelve.

Mi alma me mira con ternura
y me da consuelo,
me calienta con su aliento...
me llena y abriga.

Siento alivio...
el dolor va disminuyendo,
suspiro, respiro, inhalo profundo y sonrío.
Me encuentro a mí misma,
me estoy reconociendo,
platico conmigo y me escucho cantando.

Camino ligera y sonriente,
voy admirando las flores coquetas
que bailan y cantan para mí,
me siento feliz, el dolor está pasando,
lo puedo sentir.

Me encuentro conforme, la vida regresa,
soy feliz, feliz de tenerme y sentirme,
regresé a casa, regresé a mí...
Sentí, viví y agradecí... todo pasa por algo, y Dios lo
quiso así.

LA SEDUCCIÓN DEL ALMA

Cuando conocemos a la pareja que creemos que es la ideal, nos impresiona desde el primer instante que la vemos. Algo en nosotros se transforma y su ser nos atrae como imán. El mundo a nuestro alrededor nos parece maravilloso y una alegría que no habíamos sentido antes, se despierta.

Somos felices de pensar que compartimos el mismo mundo, con su aire, un sol que nos alumbra y nos da calor, y una luna, que, aunque estemos separados, ves en las noches y sabes que es la misma que ven los dos, y los cobija con sus rayos de luz.

¡El amor es maravilloso!...
Pero, si el amor es tan maravilloso, ¿por qué termina?
¿Qué es lo que pasa?
¿Por qué uno de los dos pierde más que el otro, o sufre más cuando la relación se rompe?

Uno de los factores más importantes es el apego. La persona que sufre más la pérdida es a la que le sedujeron el alma, le supieron llegar al corazón, la cautivaron al punto de perderse ella en la esencia del otro.

16

SU PERSONALIDAD TE ENLOQUECIÓ

Cada uno tiene una forma de hacer las cosas, hay estrategias hasta para "enamorar" esto es lo que le da personalidad e individualidad a cada ser humano, creando una chispa única de energía que arrasa. Esto, hace también que las personas se enamoren, creando lazos de atracción, empatía, carisma, seducción y sexualidad.

"La esencia" de la persona es lo que más deseas. Te vuelves loca al pensar en su ser, su aroma corporal, su voz, la forma en que camina, su actitud hacia el mundo que le rodea, la manera de tratarte y ver las cosas, todo esto crea una atracción física, mental y química.

La emoción se dispara cuando ves o piensas en esa persona, es justamente la emoción lo que te vuelve tan loca, que pierdes hasta la voluntad.

LA MUJER SE DOBLA...
POR EL OÍDO

El hombre endulza el oído de la mujer con palabras que ella quiere oír. Él sabe la verdad de ella, y con eso sabe que se la va a ganar, le crea una fantasía que para ella es una realidad, *"le seduce el alma"*.

Él sabe bajarle el cielo y endulzar su paladar, aunque lo que le diga sean mentiras. Ella de todas maneras lo disfruta al máximo y él crea un mundo perfecto con verdades de ella, no de él. No importa la edad que tengas, se puede endulzar el oído a quién quiera escuchar y disfrutar del enamoramiento.

Después del autoengaño, reconocer la verdad duele demasiado, aunque la misma te hace libre. Así que cuando estés lista para aceptar la verdad, aunque sea dolorosa, no vuelvas a caer en el juego, destruye la mentira y la obsesión.

Cuando te amas, tienes una realidad y fortaleza para no permitir que unas palabras bonitas te arrebaten la voluntad, porque después de los buenos elogios, algo tendrás que dar.

Acuérdate que el deseo se disfraza de sueños románticos, empiezan con palabras que crean emociones, que te alteran los sentidos, que te producen deseos, adrenalina pura, te sientes viva, pero así cómo te dan, el día menos pensado, también te arrebatan sin más ni más. Te endulzan el oído y luego se van.

EL AMOR A MI MANERA

Yo quería que el amor fuera a mi manera, al igual que todos ansiamos que nos amen y quería ser correspondida con la misma intensidad, que todo fuera como un cuento de hadas y que durara para siempre.

Uno juega con la ilusión y crea su propio mundo lleno de fantasía, idealiza cómo le gustaría ser amada y da por hecho que la otra persona entiende tu amor, tus deseos y que te amará de igual manera.

Para mi, él formaba parte de mí, yo sentía una conexión espiritual, pensé que teníamos las mismas creencias y convicciones, sentí que formábamos una pareja sin igual. Platicábamos de nuestras expectativas, en un matrimonio lleno de amor y confianza. Recuerdo también que en varias ocasiones hablábamos de cómo iba a ser nuestra vida juntos, y nos decíamos que nuestro matrimonio no tenía que terminar como la mayoría de las parejas que conocíamos, que con el paso del tiempo se habían vuelto aburridas.

De hecho, creamos reglas basadas en los errores que veíamos en otras parejas y analizando, dedujimos juntos en qué fallaban según nosotros.

Pensábamos que con nuestro amor teníamos también la certeza de que iba a ser diferente, nos amábamos y queríamos un matrimonio para toda la vida.

Pero todo cambió por falta de compromiso, responsabilidad y estabilidad emocional. Es muy fácil hablar, pero mantener el compromiso con alguien es difícil, y es más fácil hacerse el olvidadizo.

La decepción llega cuando das por hecho que esa persona sí va a cumplir lo que prometió, pero al final, no lo cumple.

CREENCIAS Y CONVICCIONES EN EL MATRIMONIO

¡El amor se idealiza, y sí lo creo! Mis convicciones al matrimonio fueron: compromiso, fidelidad, lealtad, empatía, reciprocidad a la relación y siempre lo mantuve hasta el final. Mis creencias, valores y convicciones vienen de mis raíces, es lo que me llevó a respetar un compromiso tan importante como es el matrimonio.

Cuando fue mi boda, tuve una experiencia maravillosa, ¡con mi vestido blanco tan bonito!, me sentía como princesa. Esta ilusión la tenía desde mi infancia y la idealicé.

Nunca nadie había hecho algo especial para mí, ese día, el amor y la atención eran solamente para mí, yo me sentía amada, protegida, cuidada y admirada, me sentía completamente realizada como mujer.

CÓMO SE PROYECTA UNA MUJER

Yo tenía aparente calma, me dediqué al cuidado y educación de mis hijos y actividades propias del hogar. Mi hijo más pequeño ocupaba casi todo mi tiempo con tareas especiales y deportes, que requerían mucha dedicación y esfuerzo. Aun así, me daba un tiempo para leer y escribir sobre temas que eran importantes para mí.

En una ocasión, fui a un taller que trataba de "Cómo mejorar en la pareja". Al término del taller, la conferencista y yo platicamos un buen rato y después me hizo una pregunta: *"¿cómo sientes tu relación de pareja?"*. Yo le contesté, con un "bien", y continué comentando cómo sentía que era mi relación, a lo que ella me dijo: *"eso es lo que tú has creado, paz, armonía y una felicidad aparente, pero eso es nada más tuyo, es lo que eres, proyectas y das. Eso es lo que eres tú, no tu relación de pareja"*. Entonces comprendí que cada persona proyecta su realidad, su ser, y lo que quiere crear para los demás.

Después de meditar y observar mis creencias y pensamientos, me di cuenta de mis proyecciones originales que eran ser fiel y entregada por completo a mi matrimonio, lastimosamente pude darme cuenta también de que la realidad de él era otra muy diferente.

22

TODO CAMBIA, HASTA EL AMOR

Todo cambia, todo se transforma, incluso el amor. El amor puede crecer o acabar. Lo que un día te gusta y te vuelve loco, deja de moverte el piso y con los años puede acabar. Es difícil aceptar que ya no te quieran amar, lo que un día es una línea de vida definida en la felicidad, se convierte en un laberinto sin salida.

El cambio es inminente y tenía que aceptar que la persona que yo amaba ya no era la misma, se habían ido con él su ilusión, su pasión. Ya no era mío y lo tenía que dejar ir. Duele, duele mucho, es un bofetón al ego, y por ahí se dice que, si amas algo, déjalo ir, y yo decía, "¡pero si él ya se fue!"

Soltar los ganchos que tienen atrapada tu alma, entender que aún sin ti, él pudo hacer una vida y ser feliz, duele, y duele mucho, pero al final sueltas y cuando sueltas, duele todavía más, sientes que el alma se desgarra y ahora te toca sanar de cada desgarro. Vuelves a tu lugar de partida sana y limpia. Comienzas a concentrarte en ti. La pérdida es solamente una cuestión de enfoque.

BERRINCHES DE LA MUJER

"Busco tu atención
y hago de todo para que me mires,
me arrebato como la chilindrina
en reclamos y drama.

Quiero tener la atención de mi pareja
y hago todo lo posible
para que me mire,
y parezco una niña sin control
por la impotencia y frustración.

Suelto todas las acusaciones
para que te sientas mal,
pero en verdad,
lo único que quiero es que me digas
que te equivocaste,
que quieres mi amor,
y que vas a hacer todo lo posible
para que estemos bien.

¡Qué difícil es pensar en el antes
y el después!
La realidad me hace despertar
y ver que estoy estancada
en emociones de frustración,
por el dolor de haberte perdido

mi amor;
¡tengo mucho coraje!
¡quiero desquitarme!
¡quiero hacerte sufrir!

Es inútil invertir más tiempo
y sentir más dolor.
Es engancharme más a ti,
aunque siento impotencia y frustración,
tengo que dejarte ir
limpio, sin que te lleves nada de mí,
ya te di suficiente.

¡Vete y no vuelvas!
¡Ya no te quiero aquí!
Llévate hasta la última de tus cosas
hoy que he aceptado tu partida
porque después,
no sé cómo voy a reaccionar sin ti...

DOMINA COMO SI FUERA SU AMO

El que ama más, pierde más. Siempre en una relación hay alguien que se impone al otro, como si fuese su amo. El más débil, tiene miedo a perder la relación, y deja sus preferencias personales para complacer al otro y adopta la personalidad de la pareja, convirtiéndose en una copia exacta del otro para no perderlo, es como si la pareja dominante tuviera un doble. Se compenetra tanto, que pierde su personalidad e individualidad y cuando termina la relación no se encuentra, no sabe qué hacer con ella misma, porque por copiar y complacer al otro, se queda vacía.

EL MIEDO ME PARALIZABA

¡Tenía miedo!, miedo a perder a la persona con la que compartí más de la mitad de mi vida.

Él era parte de mí, sentía que me arrancaban parte del alma. Su partida era inminente, sentía que era como arena en mis manos que se desvanecía, y me preguntaba ¿por qué tanta lucha? ¿por qué tanto miedo y dolor?

La lucha era conmigo misma: Él ni siquiera se daba cuenta de todas mis batallas emocionales, y si acaso se percataba, no le importaba. Era una lucha, pero... no sabía contra quién peleaba.

Ya cuando todo había terminado, lo pude ver, lo pude sentir. El miedo me paralizaba, aún así peleaba y cuando lo sentía con intensidad, me mantenía firme en no perder el control de mí misma.

Estaba viviendo un duelo, una pérdida, me sentía deprimida y me preguntaba ¿por qué? y encontré la respuesta: Se pierde parte de ti cuando esa persona se va.

Cuando una pareja se une a ti, se forma una sola estructura energética que forma parte de tu esencia, energía, olor y aura, que te integran a esa persona haciéndolos uno solo. Cuando se rompe la relación, ya no hay intercambio de energía que nutra esa integración, lo que hace que la persona abandonada automáticamente se sienta deprimida, desolada, triste y marchita, experimentando un shock emocional por miedo a la soledad y resistencia a la pérdida.

VELO DE HUMO PARA NO VER LA REALIDAD

No quieres ver las señales del engaño, de la *"infidelidad"*, porque si las aceptas, tienes que enfrentar miedos y emociones que desestabilizan tu interior, te enfrentas a la duda de si aún te ama. Entre el miedo, la incertidumbre, tu capacidad para sobrevivir sola, tantas responsabilidades, los niños aún pequeños que no quieren que el matrimonio y el hogar se rompan, llega un momento en el que te metes bajo un velo de humo, para no ver ni aceptar la realidad.

Hay ingenuidad en muchas personas que no alcanzan a imaginar el comportamiento de un infiel, la capacidad para mentir y actuar normal ante su pareja, que en ningún momento dudan de ella.

Las personas inocentes no ven esas señales porque no las conocen, lo que hace el marido le puede parecer raro, pero no le da importancia porque no sabe lo que hay detrás de cada acción, porque el cerebro no lo ha registrado, lo registra como un simple hecho, hasta que tiene conocimiento de la acción. Llega la información y empiezan los cambios, "oye, ve", alguien lo comenta. Es hasta ese momento en el que empieza a sospechar.

A las mentes inocentes les es difícil ver señales de infidelidad, cuando en su espíritu no existe el engaño, pueden ser muy sabios en otras áreas de sus vidas, pero no en lo vil y la mentira.

Yo me reprochaba muchas veces, ¡cómo había sido tan ilusa! ¡por qué no había hecho nada antes! ¡por qué el engaño! y leí una frase que decía: "Bienaventurado el inocente, no sufre porque no ve la maldad del malvado".

Cuando tienes una mente inocente, siempre tienes confianza en la gente, no te imaginas las acciones nefastas que son capaces de realizar, como la infidelidad o la trampa.

QUÉ VOY A HACER CONMIGO

¡Me siento tan sola!,
¡no me encuentro por ningún lado!,
me cambiaron la configuración.

Lo que reconocía como mío
y me hacía sentir feliz, ya no lo tengo.
Me siento perdida... tengo miedo
y ahora ¿qué voy a hacer conmigo...?

La manera en la que yo sabía existir
cambió... y me encuentro

tratando de reconocerme
para juntar lo que quedó de mí.

¡Tengo que cambiar
y tengo mucho miedo...
¡no sé por dónde empezar
ni qué hacer!,
el mundo en el que me sentía
tan segura y "protegida"
en el cual sabía cómo desenvolverme,
se esfumó.

Tengo que aprender a reestructurarme,
reconocer quién soy,
crear una nueva "yo"
para que pueda
subsistir emocionalmente
con el aquí y el ahora.

ENCONTRÉ ÁNGELES EN EL CAMINO

En diferentes instancias de mi vida, encontré personas sabias que me brindaron su cariño, apoyo y comprensión de manera incondicional. Personas que ni siquiera sabían de mí, de mi historia, de mis vicisitudes, pero que, en su momento, me dieron sus consejos con una valía tal, que transformaron mi día y mi vida con ideas innovadoras, conduciéndome por el camino de la verdad, de mi verdad.

Gracias a esto, pude recuperar la confianza en mis decisiones con una satisfacción inmensa, y puedo decir que, a pesar de atravesar el proceso más duro de mi vida, lo logré porque encontré ese apoyo angelical.

NO QUERÍA QUE TE EQUIVOCARAS

Al aceptar que ya no te interesaban mis sentimientos, ni mi dolor, ¡desperté!

El amor que un día le tuve me hacía sentir la esperanza de recuperarlo, seguir tratando de rescatar la relación y también a él, porque pensaba que estaba equivocado.

Quería que viera y valorara la vida que habíamos formado juntos, que éramos una bonita familia, que éramos una pareja como pocas porque irradiamos amor. Traté de persuadirlo para que las cosas se arreglaran, pero nada funcionó. Su actitud desinteresada me sorprendió.

Posiblemente hubo muchas señales de alarma que no vi, o si las noté, no les di la verdadera importancia, porque era como si de repente lo hubiera descubierto así.

Confiaba que el amor que yo aportaba por los dos era suficiente, creí en un amor único, verdadero e inquebrantable, pero no me había dado cuenta de que el amor que él aportaba, hacía mucho tiempo ya no existía, entonces comprendí que, para amar, se necesitan dos.

Le dije adiós al amor tan bello que entregué y que no supo apreciar. En el futuro, sé que vendrá alguien que lo sabrá valorar, apreciar y sentir, pero sobre todas las cosas que será recíproco, porque al final eso que di sigue en mí y aún puede ser compartido.

TE VEÍA Y NO TE CONOCÍA

Tenía la idea de que recapacitaras,
que mi sufrimiento lo ibas a compensar, que seríamos
otra vez felices,
esa era mi ilusión,
pero cambiaste tanto
que a quien veía frente a mí
era un total y perfecto desconocido
para mi alma, mi mente y mi corazón;

ya no eras la persona que un día amé,
y tú alma tampoco,
¿por qué cambiaste tanto?
fue como si te hubieran suplantado
por otra persona que era ajena a ti.

CUANDO SE PIERDE EL RESPETO, SE PIERDE TODO

Te alejaste de mí
para tener la libertad
de llenarte de placeres prohibidos,
y no te diste cuenta
lo mucho que te corrompiste,
te alejaste tanto que ya no te pude salvar, me mirabas
diferente,
te volviste arrogante, déspota y grosero.

Te pusiste en un pedestal tan alto
que te sentías inalcanzable
y yo no te merecía...
te gustaba ser admirado
y te volviste más demandante que nunca, me decías
"es que no me atiendes como me merezco"
y lo peor de todo, ¡es que me lo creí!

Me esforzaba más y más...

y nunca fue suficiente para ti,
a todo le faltaba o sobraba algo
¡eras insoportable!

Cuando salíamos,
tu mirada siempre estaba pendiente de alguien,
que por supuesto no era yo.
¡Querías que te elogiara,
y te atendiera como un dios!

Me vino la realidad de un solo golpe,
tu vida me pareció tan falsa,
sentías que te merecías todo
y ahora querías que yo pagara tu precio. Ya no estaba
dispuesta a tolerarlo más.
Tu fantasía la habías creado
a base de atenciones pagadas
que te hacían sentir como rey,
tu exigencia de atención era ilógica,
y por primera vez me di cuenta
de que eras un narcisista y manipulador,
y al mismo tiempo, irónicamente,
eras manipulado por conveniencias
de otras personas.

Tu ego y fantasías
te hicieron perder la realidad.
La admiración y el placer

se convirtieron para ti en una adicción.

En verdad, yo te amaba,
te admiraba y respetaba,
pero al quebrarse la confianza,
todo eso se esfumó,
y en la relación todo se perdió.

AL FIN, LA REALIDAD

Idealizas y creas un príncipe cuando en realidad
es un sapo.

El ver la inclinación y atenciones con la persona que mantenías una relación por tan largo tiempo. El tiempo que le dedicabas a cada llamada por la mañana, tarde o noche, el cariño y amor con que le hablabas y todo lo que le decías, te das cuenta de que era una conexión emocional muy fuerte (no me pregunten cómo, pero lo supe, lo supe y basta) mis creencias, emociones y proyectos se fueron a la ching...da y el pedestal donde lo puse por años se cayó, se estrelló, se hizo añicos, no tenía caso querer repararlo. Esto me derrumbó, por lo menos, pensé que se acababa la incertidumbre, pero, lo que estaba pasando en ese momento... ¡no imaginé que pasaría jamás!

¡No estoy loca, no! ¡No estoy loca!, me repetía constantemente, pues era una realidad, lejos o no, ¡esa relación tronó!

EL AMOR SE VA Y TODO LO VES EXTRAÑO

Cuánto más amas a tu pareja y él deja de amarte, más se te cae el mundo, ves todo extraño. El ambiente cambia, la energía que te llenaba como pareja ya no la recibes, empiezas a dejar de sentir la conexión emocional, espiritual y física, todo es un vacío.

Lo que era familiar a tus ojos no existe más, tu realidad ya no es la misma, tu alma siente la soledad, el abandono y te duele hasta los huesos. Empieza el síndrome de la abstinencia. Poco a poco, esto empieza a pasar cuando cambias tu realidad y te enfocas en modificar tu rutina. El movimiento de hacer nuevas cosas cambia tu energía.

Puedes comenzar a hacer, por ejemplo, caminatas en la playa, en la montaña, en el bosque, o hacer jardinería, para empezar a crear una conexión con la naturaleza, esta te nutre y creas un vínculo de amor y armonía con la madre tierra.

VIVIR EN DOS REALIDADES

Cuando hay una ruptura amorosa y te alejas de tu pareja, comienzas a vivir en dos mundos al mismo tiempo: uno real y cruel, el otro emocional y arrebatado. Es por eso, que es muy difícil salir de una relación, pues te produce tantos sentimientos y emociones encontradas, que te confunden y provocan una lucha interna.

Esto es lógico, somos seres emocionales y racionales, cada experiencia tiene una emoción con su química en el cuerpo y es creada con la secreción de hormonas que se activan según la situación.

El recuerdo de situaciones vividas en ciertas experiencias de la vida, como los olores, sabores, colores, una canción, una película, un lugar, e incluso el ambiente, se quedan impresos en la memoria corporal, aunque no nos demos cuenta.

Todas estas emociones se sienten cuando las traes nuevamente a tu memoria, porque el cerebro capta lo que con los ojos no se percibe. Todo está en el subconsciente y se activa con la realidad del exterior.

Las emociones son reacciones del ser humano, que le dan sabor a la vida, de lo contrario, seríamos como *zombies*, sin sentir lo que vivimos.

EL CEREBRO JUEGA EN TU CONTRA

Los sentimientos arrasan con todo y parece que cuando más quieres olvidar, el cerebro más hace lo contrario, te trae más recuerdos y juega en tu contra, quieres dejar de comer y más hambre te da, quieres olvidar y el recuerdo aparece de la nada, una foto, el vestido que usaste en una fiesta donde disfrutaste mucho, un aniversario etc.

Lo más efectivo cuando quieres tener un control emocional, es la decisión de tomar dicho control. Pero casi nunca es fácil.

LA EMOCIÓN TE TORTURA

La única manera de controlar el pensamiento es manejar la emoción. Cuando sentía que me dominaba la emoción, no ponía resistencia, dejaba que llegara, anulaba el sentimiento, no le ponía atención, ni mi tiempo, hasta que solita se desvanecía, claro, ¡es más fácil decirlo que hacerlo!, pero después de perder tanto, ya no quieres ni tienes que seguir perdiendo más, y ya no te quieres quedar estancada en algo que ya no tiene sentido y que solo te produce dolor.

Es más fácil decirlo que hacerlo, insisto, y aunque en mi caso ya no tenía voluntad, me forcé a hacerlo, para no quedarme estancada en algo que ya no tenía sentido y solo me producía pena y dolor.

ENTENDER MIS EMOCIONES PARA QUE YA NO ME ATORMENTEN

¡Me reconocí! ¡supe quién soy!, ¡cómo soy!, qué es mío y qué es lo que quiero para mí y para mi vida. Para llegar a esta etapa de reconocimiento, me tuve que proyectar de dentro hacia fuera. Afuera de la situación que me atormentaba y las emociones que me mantenían dentro de un remolino lleno de confusión y caos mental,

generando sentimientos encontrados. Pero los recuerdos me atormentaban, no sabía cómo pararlos.

Cuando estás así, no tienes los pies sobre la tierra, es como si te desprogramaras de quién eres y te sale el ser emocional que todos llevamos dentro y esas emociones te arrasan.

Si estás pasando por una situación de desamor y pérdida y no puedes con eso, es mejor que busques ayuda profesional para que te oriente a descifrar y controlar tus emociones.

Es importante confiar en alguien para que te guíe o acompañe en esta experiencia, que puede durar mucho tiempo, dejándote estancado y frustrado. Busca a una persona con la que puedas hablar y sentirte cómodo, puede ser un hermano, un amigo, ya sea cercano o a distancia; pero muy importante, tiene que ser alguien que no te vaya a juzgar digas lo que digas y que esté ahí para ti, en el momento que más lo necesites.

Menciono esto, porque lo quise hacer sola y duré mucho tiempo perdida y frustrada. Cuando me apoyé en una amiga muy querida e incondicional, ella me ayudó a entender y salir de las emociones que me daban vueltas y vueltas quedando extenuada, sin resolver nada.

NO ES AMOR, ES OBSESIÓN

Suplicas como si se fuera a compadecer de ti,
pero él ya no te ama.

Él no se ama ni a sí mismo: no sabe lo que es el amor. El infiel juega con el amor, juega con los sentimientos de quien le da su atención, solo piensa en sus deseos, lo que le llena y hace que te salgas de tu realidad. Son características de un infiel.

 Dador de nada, exigencia de todo.

Hay relaciones en las que el hombre es un inconsciente, en donde la mujer para él es un juego y un objeto en sus manos. Doblega a la mujer con dulzura para llenarse de ella, mientras sea una novedad que le llena el gusto y cuando aparece alguien o algo que capta su atención, se va sin ningún tipo de remordimiento.

Su lema: a la mujer háblale de amor y sinceridad hasta que lo crea.

UN NARCISISTA

Él siempre estaba atento, abría la puerta del carro, me acomodaba la silla, si se me olvidaba algo en el carro, él se ofrecía a traerlo, era muy detallista, me regalaba un anillo en cada aniversario.

Nos gustaba ir a lugares y tomarnos una copa, era una relación muy bonita. Salíamos con amigos (otras parejas) y él siempre estaba atento a mí.

Las parejas con las que salíamos se sorprendían mucho, *especialmente las mujeres que estaban mal en su matrimonio.* Para mí esos detalles eran normales y ellas estaban asombradas porque había mucha comprensión y empatía entre nosotros, aún después de tantos años de casados, y yo lo podía sentir, cosa que me hacía sentir muy feliz.

Pero esto, poco a poco fue cambiando, le gustaba mucho la admiración que causaba en las mujeres. Él estaba al pendiente de ellas, atento en traerles una copa o tenerles una atención, y siempre se sentaba enfrente de todas para llamar su atención.

Yo le comentaba que mantuviera su distancia con ellas, era molesta e incómoda la situación, y que lo podían interpretar mal. Él mantenía su distancia, pero siempre había alguien que se acercaba, no es que fuera tan guapo, pero cuando una mujer ve a otra que tiene la atención y un trato especial de un hombre, les causa envidia: porque él tiene lo que ellas anhelan en una relación y se acercan como moscas a la miel.

Yo veía cómo su vanidad crecía, le gustaban los halagos y se le fueron subiendo los aires de grandeza. Sí, lo noté... pero nos la pasábamos tan bien con un grupo de amigos, que no le di mucha importancia hasta que su actitud cambió drásticamente.

En ese tiempo cambió de trabajo y empezó a laborar en donde siempre quiso, ahí fue radical su cambio. Llegaba más tarde de lo usual, se salía de repente de la casa, yo le decía "voy contigo" y me respondía que no.

Siempre tenía una cantidad considerable de dinero en la cartera, pero de un día a otro ¡ya no traía nada! Le preguntaba: "¿qué hiciste con el dinero?" y me respondía divagando: "lo ocupé en esto o en aquello". Después decía tajante "¡es mi dinero!, ¡no tuyo!"

Cubría los gastos y necesidades de la casa y no me hacía falta nada, al final me decía: "¡ya tienes tu dinero, déjame gastar el mío!"

No veía dónde gastaba el dinero y su actitud para conmigo ya no era la misma. Cuando salíamos le gustaba mucho la atención de las amigas en común, ellas se comportaban más atrevidas y coquetas de lo normal, y no les interesaba que me molestara. En este punto, él ya estaba muy distante de mí, se comportaba muy arrogante, me hacía sentir como que yo no me lo merecía, su vanidad creció hasta el cielo.

Él se había creado un prestigio, era el "buena onda", el que paga todo. La admiración de ellas se convirtió en placer para él.

Sabía, dentro de mi ser, que la relación estaba mal, pero tenía emociones como la montaña rusa: unos días estaban arriba, y otros estaban por el piso, me sentía convencida de que todo había llegado al final.

Todo era confusión, me percataba que había algo "extra" en el ambiente, y si no lo había, él lo creaba, no sabía en ese entonces que estaba enfrente de un narcisista que se presentaba como un gran salvador en cualquier situación, siempre lograba que la gente lo admirara, vivía en una burbuja, un espejismo.

ME QUITÉ EL PAPEL DE VICTIMA

Por la esperanza de un cambio, me enfoqué en rescatar un amor perdido y la que perdió fui yo, al final, me dañé más de lo necesario.

Buscar culpables no soluciona nada, pero debo reconocer que yo lo permití, tengo que asumir mi responsabilidad y quitarme la banda de víctima, porque nadie puede hacerte daño si tú no lo permites. Por abnegación, puedes llegar a ponerte como el centro en el tiro al blanco.

Lo que quiero decirte es que si tu permites que alguien te manipule y no tomas decisiones por temor al abandono o a que dejen de amarte, vas a darle poder a esa persona, poder para que haga contigo lo que quiera. Esto es verdad y hasta los animales lo perciben.

Les cuento la historia que vi, cuando estaba con mis mascotas:

Llegamos de una fiesta, eran como las dos de la mañana, dejé la puerta entreabierta y se salió Nilo, mi perro. Cuando me vio que iba atrás de él, se echó a caminar calle abajo, me veía atrás de él y más caminaba hasta que caminé una cuadra, me regresé por Naya, mi perrita, para que me acompañara. Ya con Naya lo fuimos a buscar, el perro nos vio y nos esperó, cuando ya estábamos cerca corría.

Hacía mucho frío, yo estaba aún con zapatillas y ya habíamos caminado mucho. Naya de repente, se dio la vuelta y comenzó a caminar de regreso a la casa, yo con la preocupación de que se robaran a Nilo llamé a Naya para que regresara conmigo. Le insistí, pero ella no me hizo caso. Le gritaba: "Naya ¡ven aquí!", pero ella caminaba más rápido, ni siquiera volteaba a verme y yo por no quedarme sola, la empecé a seguir. Volteé a ver a Nilo, y dije para mis adentros "bueno, si te roban ni modo".

Cuando Nilo se percató de que ya no lo seguíamos, se detuvo y ¡corrió hasta alcanzarnos! Miré a Naya y reflexioné: *"esta si es bien perra",* me reí y llegamos juntos a la casa muy cansados.

Todo en esta vida nos deja una lección. Con nuestra inseguridad, damos poder a quien se siente muy seguro de nosotras y le entregamos el poder de manipularnos.

UN CLAVO NO SACA A OTRO CLAVO, LO HUNDE MÁS

No, no voy a buscar a nadie como consuelo, ni a pensar que un clavo saca a otro clavo, porque más bien, creo que lo hunde más.

Si no has salido de un conflicto emocional con una persona y ya te involucras con otra, solo crearás un remolino de emociones. Si de por sí, cuesta descifrarse una misma, ahora descifrar a dos personas sería aún más complejo, meterse a este remolino en el que no terminas de entender qué pasó con tu relación anterior, tratando de entender a alguien nuevo en tu vida... es demasiado, la confusión puede arrastrarte, no podrás parar y puede que te lleve a la locura.

Cuando inició la relación, fue muy especial, porque ese amor fue espontáneo, era como si nos conociéramos de toda la vida, podíamos platicar horas y horas sin aburrirnos, disfrutamos el estar juntos. Personalmente pienso, que la persona que te va a acompañar como pareja te la manda Dios con un propósito.

La mentalidad de que un clavo saca a otro clavo no me convence, porque ninguna persona suple a otra.

Para iniciar otra relación tienes que sanar las heridas que te dejó la relación anterior, porque si no, vas a cometer los mismos errores. Somos personas repetitivas y en nuestra mente se forman ideas que se establecen en el subconsciente, estas salen a regir una realidad, por eso tienes que estar sana y segura de empezar una nueva relación.

Nunca he podido hacer algo, si no tengo la convicción en el alma de que quiero hacerlo, es algo que siempre me ha caracterizado y hablando de compartir mi vida con otra persona, con más razón, porque entregarme a otra persona solo por atracción o por no sentirme sola, o por placer, no tiene sentido. Con esto, en lugar de llenar tu vida, solo vas a conseguir quedarte más vacía.

ESTANCADA EN EL PASADO

Cuando me di cuenta
de que estaba estancada en el pasado
corrí a mi presente.
De repente me vi
con retratos en las manos,
retratos que pesaban mucho
y ya no los podía cargar.

El peso de las fotos
me echaba para atrás,
casi perdía el equilibrio.

Para salir de ahí, tuve que soltar.
"Solté" cada uno de esos recuerdos
que un día fueron alegría,
ternura y pasión.
Y hoy son tan solo recuerdos
y nada más, que en el pasado
se tienen que quedar.

PARA AMAR SE NECESITAN DOS

Aceptar que yo no te intereso,
que te alejas de mí,
que no te importan mis sentimientos
ni el dolor que mis ojos muestran al
verte,
todo lo ignoras,
eso me hirió hasta el fondo de mi alma
y me despertó a la realidad.

Yo sé que el amor
que tenía por ti
me hacía tener esperanzas
y traté de rescatarte

pensando que estabas equivocado...
quería qué valoraras
la vida que habíamos hecho juntos,
que éramos una familia muy bonita
y que habíamos sido una pareja
como pocas, envidiable,
pero que al final, nada funcionó.

¿Qué falló?
¿Cómo llegamos hasta aquí?

Hubo muchas señales de alarma y las ignoré, ¡y sí las vi! Las noté, pero no les di demasiada importancia porque *"confiaba en el amor"* ¡confiaba en que mi amor era único y especial, verdadero, inquebrantable, que nada ni nadie lo podía romper! pero si, se rompió, todos mis intentos fueron en vano y me di cuenta de que para amar se necesitan dos y para luchar por una relación, con uno no basta.

Él ya se había bajado de mi barca, ya no remaba conmigo, yo remaba sola y solo daba vueltas en el mismo círculo, esperando que él tomara el otro remo para que los dos llegáramos a la orilla y eso nunca pasó.

Reflexioné y dije: *¡no más! ¡ya le di mucho a esta relación!¡No puedo más!* Tomé los dos remos y remé hacia un nuevo horizonte donde veía que la oscuridad ya se estaba disipando y veía cómo poco a poco fue saliendo el sol, lento y brillante llenando de energía y esperanza un nuevo amanecer.

Llega un momento en el que te das cuenta de que es un alivio soltar. Necesitas seguir avanzando, seguir viviendo, porque siempre hay alguien a quien le haces falta, tu sola presencia los hace felices y una de esas personas eres tú misma.

MENSAJE ESPECIAL

Observaba cómo reían las parejas que fueron nuestros amigos de siempre, veía su felicidad y me dolía el alma, sentía la pérdida de mi pareja, sentía una tristeza intensa, trataba de aparentar normalidad frente a los demás y me preguntaba ¿por qué a mí? era una pregunta que me repetía una y otra vez, ¿por qué a mí? ¿qué hice mal para merecer esto?

De la nada, empecé a leer mensajes que aparecían de todos lados que decían:

"Una gran pérdida no es lo que parece, puede ser una gran ganancia".

"Si juega a perderte, déjale ganar".

"Tú eres un vino exquisito que no todos saben apreciar".

"Él no merece tu amor".

"¡Suelta!, déjalo ir, que la vida te tiene reservado algo más que te va a sorprender".
"Dios te quiere dar un regalo especial".

"Ten fe".

"Seca tus lágrimas, el dolor va a pasar".

"Has hecho las cosas bien. Dios sabe lo que mereces".

"Dios escuchó tu ruego",

"Esto es la respuesta de lo que tanto has estado pidiendo".

"La vida te tiene que quitar de ahí, porque ya serviste, hiciste tu labor y lo hiciste bien, por eso Dios te va a compensar".

"Todo tiene su tiempo, hoy lloras, pero mañana reirás".

"En el camino encontrarás a gente con tu mismo valor, y por la vibración, los vas a reconocer". [1]

Esto duró un buen tiempo, aparecía y leía lo mismo una y otra vez. Lo veía con asombro al principio, pero de tanto ver estos mensajes, entró la idea en mi razón y en mi corazón.

¡Estaba asombrada! me dije: *"entonces, ¿Dios sabe esto? ¡Dios sabe lo que ha pasado! ¿Me quiere fuera de esta relación?"* sentí como si alguien me sacara de un laberinto, por primera vez, sentí, que había algo más, que no estaba sola. Vino a mi mente una frase *"El universo te observa"*. Me estaba guiando para salir de esta relación. Mi tiempo con esa persona ya se había terminado y tenía que soltar y dejar ir. Por primera vez sentí alivio

[1] Belifer YouTube Channel

LA FE

Necesitaba recuperar mi fe. ¿Qué es la fe?: Es la seguridad de que vas a obtener lo que deseas. Imagínalo, siéntelo y dalo por hecho, vas a crear una energía que te envuelve y conecta con el ser supremo que hace que ocurran las cosas.

No podemos solos, la carga emocional nos rebasa, y es la fe es lo único que nos mantiene a flote. Piensa y decreta que todo va a salir bien, ten fe.

PAREJAS KÁRMICAS

La promesa "para toda la vida" es muy romántica.

A veces, esa persona de quien te enamoras y con quien luego te casas, no siempre es la que te acompaña el resto de tu vida. Esa pareja es denominada: pareja kármica.

Una relación kármica es la convivencia con una pareja que va a aparecer en tu vida para enseñarte algo que no has logrado aprender, cuando lo aprendes, trasciendes y termina la relación porque la lección ha sido aprendida.

Entre las parejas kármicas puede haber una atracción física y mucha química. Con este tipo de parejas, se hace un trato donde te va a enseñar a vivir el peor de los infiernos, vas a enfrentar desengaños, soledad, tristezas, retos materiales y espirituales; en estos últimos te vas a confrontar con la pérdida de ti misma, porque te hace dudar de todo lo que dabas por hecho.

Las parejas kármicas, son muy hábiles para obtener lo que quieren de ti, te conocen mejor que tú misma porque siempre te están observando y saben tus vulnerabilidades para ahí apretar el botón, saben cómo acercarse cuando quieren algo de ti. Necesitas estar atenta si no quieres caer y tener las antenas trabajando al máximo.

Hace unos años estudié hipnoterapia, dicha ciencia abarca la terapia de vidas pasadas.

Tuve la oportunidad de conocer a una maestra en el tema, hablamos algunas veces y aprendí mucho de ella. En determinado momento me preguntó sobre mi vida, le platiqué algunas cosas puntuales. De pronto un día ella me da una sentencia: dijo que me iba a divorciar, porque mi destino era ese, que mi contrato con mi actual pareja iba a terminar y que me preparara porque iba a ser una experiencia muy fuerte.

¡Yo me quedé atónita!, ¡no lo esperaba! Esto pasó hace años, en ese tiempo yo era muy feliz, por lo que no le creí y no lo acepté.

Ahora que lo escribo, me vienen a la mente sus palabras precisas: Me dijo que ser un ser kármico en la vida de alguien es muy duro, porque su misión es darte una lección de vida, que va a producir en tu vida un giro tan inesperado que ni te puedes imaginar.

CREÍ TODO LO QUE ME DECÍAS

Te aprovechaste de mí,
de mi inocencia,
te creí todo lo que me decías.
¡Cuántos engaños, ¡cuántas mentiras!

Cuando te das cuenta, te entra "una furia contigo misma" y te preguntas ¿cómo pude ser tan ilusa? ¿por qué no me di cuenta antes?

Vivir con un mentiroso es lo más deprimente y estresante que puedes experimentar, por su egoísmo, siempre tiene una justificación que te hace dudar hasta de ti misma aun teniendo las pruebas en la mano. Cuando se ve descubierto y sin justificación se encoleriza y tienes que quedarte callada para que esto no salga de control.

Eran tantas mentiras que no me había percatado de ellas, estaba tan acostumbrada a su presencia cínica, que al verlas fríamente fue como si se me cayera una venda de los ojos y una revelación llegara a mi mente. Venían episodios de recuerdos sin poderlos controlar, empecé a analizarlos uno a uno y veía la traición, la mentira una y otra vez. Veía a esa persona, la tenía enfrente, de repente se develaron todos sus secretos y atrás de los secretos, una realidad que me paralizó.

LA VERDAD SIEMPRE SALE A RELUCIR

Un mentiroso, es el mejor actor que puedas encontrar, pues ha hecho de la mentira un arte y para todo tiene una salida, una respuesta perfecta, para él, las reglas no son reglas. Todo puede ser quebrantado.

Pobre de las mujeres que piensan que un mentiroso puede cambiar. Al principio, todas creemos que esto es posible, pero con el tiempo, te das cuenta de que es más fácil que él te cambie a ti... pero por otra.

Sentí un escalofrío que invadió todo mi cuerpo y el sentimiento total de desilusión y desamor por él. Ese amor que sentí en algún momento por él se acabó, se esfumó, se quebrantó. Se terminó por completo.

Ya no me importaba lo que él dijera o hiciera, me daba lo mismo, todo en él era mentira, no me importaba escucharlo, era como si esa persona ya no existiera para mí.

 ESCLAVITUD

Todos los seres humanos nacemos libres, iguales en dignidad y derechos, merecemos lealtad, respeto y estima.

Hemos visto muchas películas y documentales sobre personas que han sido capturadas y detenidas en contra de su voluntad, y es terrible porque viven la vida en un estado de esclavitud. Qué impotencia verlos encadenados de pies y manos, dan ganas de llegar a donde estén y liberarlos.

Eso es lo que podemos ver, pero hay otra esclavitud más terrible que mucha gente ha sufrido en algún lapso de su vida y es la esclavitud emocional. Esto se da en todo tipo de relación, pero más en la sentimental, porque nos cuesta amar sin respetar la libertad del otro, exigimos lealtad en todo momento, que respeten nuestros derechos de pareja, de ser, sentir, decidir, pensar, pero no siempre existe la disposición de dar lo mismo.

Tú decides estar en una relación y nadie más. Cuando no eres claro, engañas, manipulas, enganchas a tu pareja a tus caprichos y voluntad.

Lo que no sabes, es que el engaño te hace esclavo de tus propias acciones, para cubrir una mentira, la tienes que maquillar constantemente con otra mentira más grande, hasta que esto se vuelve una bola de nieve que ya no puedes detener, creando en ti ansiedad, frustración y culpa. Resultando en ocasiones en un trastorno de personalidad.

TE CAPTURA EN SU JAULA EMOCIONAL

El infiel es una persona muy inteligente, observador, calculador, manipulador y buen actor.

Conoce perfectamente tus estados de ánimo y sabe cómo manejarlos, cualquier cambio de actitud es alarmante para él, todo el tiempo está ocultando sus maniobras y su juego.

Está en constante sondeo de cuanto sabes de él, de su entorno, amigos, opiniones, toda información es valiosa. Si ve algo que no cuadra y tiene alguna sospecha de haber sido descubierto, él se reafirma como el hombre preocupado por su familia y más por ti. Tiene más atenciones y acercamiento íntimo contigo, es más cariñoso, vuelven los detalles, los días en familia, te tiene más contenta que nunca y si tenías una duda, se disipa. Al final te dices a ti misma: me lo imaginé, la loca soy yo.

Así logra su objetivo de ponerte dentro de su jaula emocional, pero luego te juzga como si tu fueras igual que él, la sola idea de pensar que puedas hacer lo mismo que él hace, de sentir lo que él siente al engañar, no la puede soportar pues no puede ni pensar en que alguien le quite a la mujer que le pertenece, que le da valor y amor incondicional a su vida, entonces te deja muy claro que él es el mejor y que nadie más va a quererte nunca.

Y cuando ya estás cansada de sus fechorías, ya no te dejas cautivar, no cedes a su juego amoroso de reconquista después de un desliz, y le aplicas la indiferencia. Y si, por ejemplo, empiezas a escuchar música romántica, comienzas a cantar, ese cambio de actitud se proyecta en él y se convierte en pánico, el tormento lo vuelve loco de celos, ¡porque siente que su mujer anda con otro! ¡esto no lo puede soportar!... ¡Ah! ¡porque tú no puedes hacer lo mismo que él!

Comienza a observar y a investigar más de cerca. ¡Este es el tormento del infiel! La proyección de su mente obsesiva por sus mismas actitudes y comportamientos que él conoce. Esto también es miedo interno de perder a su mujer y hace que él vea actitudes que pueden ser parte de su imaginación: "si yo lo hago, todo el mundo lo puede hacer", y la relación se desgasta pues la relación se torna muy difícil, casi insoportable.

Lo que te describo pasó en mi relación, no entendía su repentina desconfianza, y yo, de ingenua, no sabía lo que estaba pasando. Cuando alguien tiene tanta desconfianza, es porque está haciendo algo que lo hace desconfiado.

Hubo un tiempo en que, de manera muy sutil, él iniciaba una conversación sondeando, para saber de mis actividades, mis horarios, conocía todos mis movimientos. Él siempre sabía cómo moverse para que yo no me percatara de nada. Generalmente, la mujer, cuando está en un matrimonio, es muy predecible y casi siempre tiene la misma rutina.

Consejo: Amiga, te sugiero que encuentres algo nuevo que hacer cada día, para que nunca te descifre tan fácil.

OBSERVA

Tengo una amiga desde la secundaria, que todo el tiempo me decía, *"observa, observa, ve tu verdad para que encuentres tu paz"*. Y yo le decía *"¡es que no sé qué me quieres decir! ¡No te entiendo! yo todo lo veo normal"*.

Me decía: *"observa con mucho cuidado y calma, observa, estás viendo lo que tú creaste, tu proyección, tu verdad, ve de afuera, todo lo que está dentro del remolino, está en aparente calma, necesitas salir y ver desde un punto de vista diferente para ver la realidad."*

Cuando te das cuenta de la realidad, cuando estás fuera del centro del huracán, todo es completamente diferente. Así que vete afuera de la emoción y con una perspectiva neutral, analiza cómo actúas, actúa él, descifra y encontrarás la verdad. Al final, de tanto observar, me encontré yo y descubrí mi emoción, lo que me guiaba para actuar como lo había cómo hecho por tantos años.

LAS PROYECCIONES IDEALISTAS SE DESVANECEN

Yo quería un hogar en armonía, un hogar de paz y amor. Al mismo tiempo, me preguntaba: ¿yo quería protección? ¿un ideal? ¿quería crear lo que no tuve con mis padres? ¡Oh algo diferente!¡Creo haberlo descifrado finalmente!

Definitivamente, para él, la relación no tenía valor. Al principio sí lo tuvo, pero luego, algo cambió. Jugaba el papel del marido condescendiente, el que yo quería ver. Llega un momento en que te das cuenta, de que todo es una comedia, es como dar un giro completo de 360 grados... despertando a la realidad.

Las proyecciones idealistas se desvanecen y tienes que reinventarte, cuesta mucho esfuerzo, pero al final regresas a tu centro para tener una vida plena, real.

Otra de las proyecciones que detiene a la mujer en una relación tóxica, es la de no romper la relación, por el desamparo de los hijos, la proyección de la madre preocupada por los hijos es una realidad, hasta que llega un momento en el que son los mismos hijos quienes le piden a la madre que ya no aguante más.

APRENDÍ A REÍR EN LA TORMENTA

Cuando estaba con el dolor más profundo por mi ruptura matrimonial, evité a toda la gente a mi alrededor por mucho tiempo. Todas las invitaciones las rechazaba porque no sentía humor para estar cerca de las personas. Un día, leí un párrafo que decía *"Tu alma está triste y hecha pedazos por dentro, tienes que saber estar, convivir y reír, aunque estés bajo la tormenta"*, esto me llegó al corazón.

Comprendí la frase y me esforcé en analizar y aprender a separar mi frustración y sentimientos para mi bienestar. Sabía que había situaciones que tenían que resolverse en largo tiempo y yo tenía una meta, un final al que tenía que llegar, y, mientras tanto, tenía que seguir viviendo, así que me enfoqué en invertir mi tiempo en cosas productivas y en lo que podía resolver, no le hacía caso a la tristeza, y a veces, de repente, sentía ansiedad, pero no le ponía atención y la ignoraba, me enfocaba en lo que estaba a mi alrededor para poder disfrutar el momento.

No hablaba de lo que me estaba pasando, ¿para qué? no tenía sentido hablar de algo de lo que quería distraerme, tenía que crear algo nuevo para mí, no quería hacer un circo de mi vida privada, ni hablar mal de mi pareja y crear morbo para ser material de la gente, y que se entretuvieran a mis expensas.

Hay una frase por ahí, *"si quieres que te respeten empieza por ti, respeta tu privacidad y no la pongas en boca de nadie"*. Empecé a crear paz, con la paz viene la calma, con la calma la tranquilidad y con ello la alegría de seguir viviendo.

MIS AMIGAS DE LA SECUNDARIA

Dios me puso a la gente correcta en el momento indicado. Cuando entré a la secundaria, tenía tres amigas entrañables. Las dejé de ver cuando emigré a Estados Unidos. Pero cuando iba a México, siempre quería buscarlas.

Por cuestiones de tiempo, lo dejaba para después y nunca lo hacía, hasta que una vez me decidí y me coordiné con una de mis amigas, la poeta, con la que nunca perdí contacto (porque vivía cerca de mi casa) y fuimos a buscar a las otras, a donde nos acordábamos que vivían, pero ya todo había cambiado, las calles donde pasábamos estaban cerradas y era un laberinto.

En la búsqueda, nos perdimos, así que decidimos regresar al punto de partida que era la escuela y de ahí calculamos a qué altura y cuántas calles serían para llegar a donde pensamos podría ser la ubicación.

Así recorrimos en carro, dimos muchas vueltas, y no llegábamos a ningún lado, decidimos irnos caminando en medio de las calles. De repente me acordé de que cruzábamos un río cuando acompañaba a una de ellas a su casa, y empezamos a buscar el río, no lo encontramos, le preguntamos a la gente y nos dijeron que estaba entubado, nos ubicamos y trazamos tres calles posibles y empezamos a tocar puerta por puerta, hasta que dimos con ella.

Los tres años que estuvimos juntas nos reíamos de todo y a la vez de nada, nos ayudábamos incondicionalmente, era un lazo mágico de unión muy fuerte, nos protegimos, apoyamos y nunca nos reprochamos nada, sí nos llegamos a molestar en alguna ocasión, pero nunca nos peleamos ni nos distanciamos, éramos un equipo de amor y armonía. Cuando nos encontramos fue como si nunca nos hubiéramos dejado de vernos a pesar de haber pasado tanto tiempo, la conexión estaba intacta, me sentí apreciada, era una amistad incondicional.

Estando en el proceso de divorcio me sentí apoyada incondicionalmente por mis amigas, dijera lo que dijera no me iban a reprochar o recriminar algo, al contrario, eran muy comprensivas, el apoyo que tanto necesitaba, especialmente mi amiga la analítica, que siempre estaba para mí en cualquier momento, platicábamos sobre situaciones muy complicadas que con nadie hubiera podido hablar, esto me ayudó a descifrar, analizar y a reestructurar muchas creencias y realidades que estaban ahí en mi mente sin poderlas tocar.

Me atreví, empecé a hablar de lo que realmente me asustaba y dolía, me paralizaba de miedo y ahí mi amiga con su sabiduría y reflexión me daba su punto de vista como amiga y enfoque analítico, que me hacía ver realidades que yo no podía ver sola. Ahora entiendo porque un dentista no se puede sacar una muela.

Cada persona tiene un don innato que está en su vida con un propósito, yo les llamo Ángeles en el camino. En mi vida, Dios me ha dado ángeles y mis amigas de la secundaria son parte de ellos.

El aprecio que tengo por ellas es sin igual, contar con amigas incondicionales cuando más las necesitas es oro puro; en tus manos esta dar esa atención, el tiempo, las palabras de aliento y, sobre todo, el no juzgar, pues es invaluable para alguien que realmente lo necesita.

DÓNDE EMPIEZA
LA CODEPENDENCIA

Una mujer no abandona al hombre que ama, en cambio, el hombre "sí abandona a la mujer que dice amar" (Me lo dijo una reclusa)

La mujer representa la unidad, todo lo une, lo envuelve con la magia de su esencia, le pone color, sabor, su alegría, es una creación muy especial. La mujer enamorada se une al hombre que ama y forma una energía única. *Uno complementa al otro y el otro complementa al uno.*

Para mí eso es amor. Pero ¿Dónde empieza la codependencia? ¿En no saber soltar cuando la otra persona no te ama? Lo lógico sería soltar y alejarte, sin embargo, no todos los seres humanos tienen esa lógica ¿Quién se puede ir de una relación sin dolor? El que no se entregó emocionalmente en esa relación, el que no siente, el que vivió una relación falsa para irse así, sin explicaciones ni motivos.

Cuando nos enamoramos, se despierta un sentimiento único, hermoso que conectamos a los sentidos entregándonos al amor, lo idealizamos y esperamos ser amados profundamente. Cuando perdemos este sentir, lloramos la pérdida y se da un terrible sufrimiento.

Cuando la gente dice: "¡ya, supéralo!" En verdad, ¡uno quiere superarlo! la mente te dice que lo hagas, más, sin embargo, el corazón se quiere parar. Usualmente, nadie sabe o entiende cómo "soltar" "dejar ir" así a la ligera, a la persona que ama o que amó, y en este caso, el abandonado decide que el amor no para en él, solo porque la otra persona lo dejó de amar.

El amor sigue ahí. Cuando te sientes abandonado, viene el desengaño, y entonces sabes que hay una pérdida y la soledad va creando una realidad que tienes que afrontar tarde o temprano, y ahí viene tu realidad y te das cuenta de que el amor se terminó.

La codependencia se maneja como un apego, y sí, es un apego cuando amas, quieres y anhelas estar las veinticuatro horas del día con la pareja, la piensas desde que amanece hasta que cae la noche. Se puede manejar como una adicción, y sí, también es una adicción, es porque te haces adicto a todo lo que se relaciona con él, sí, todas lo hemos pasado en nuestra vida.

Bajan tu energía y tu rendimiento totalmente, a cero, entonces te das cuenta de que tienes una dependencia excesiva y que tienes que enfocarte y balancear, pero todas las personas que han amado han experimentado este tipo de comportamiento. La codependencia empieza en no saber soltar cuando alguien ya no está ahí para ti.

NALA Y NIKO

Cuando me sentía triste me encerraba en mi recámara, me atormentaban los recuerdos de momentos felices, que se fueron tornando en sombríos y oscuros, pensamientos y emociones que iban y venían en mi angustiada mente, hasta terminar agotada. Me acostaba por horas sin moverme, sola, triste. Estaba viviendo un duelo, una pérdida, me sentía deprimida y me preguntaba ¿por qué? y encontré la respuesta: Se pierde parte de ti cuando esa persona se va.

Cierto día, me levanté de la cama y tropecé con Nala, mi perrita. La primera vez me pareció extraño, la segunda me pareció casualidad y las demás veces me di cuenta de que estaba ahí con un propósito, pues se deslizaba para estar ahí conmigo como la mejor amiga, que no dice nada, pero que, con su sola presencia, basta. Estaba ahí por horas y horas, acostada al lado de mi cama; la miraba y me veía con una mirada tan triste que me desconcertaba, ella ahí, todo el tiempo pendiente de mi.

Nala llegó a nuestra vida cuando mi hija estaba cumpliendo dieciséis años. Una fría tarde de otoño, una amiguita le comentó sobre una perrita si la quería por su cumpleaños; pero le advirtió que había estado con un entrenador de perros y que había sido muy maltratada para no entregarla a un *"shelter"*, se la llevaron de una familia a otra, pero nadie la quería porque pensaban que era mucha responsabilidad, por lo que, de último, la cuidó temporalmente una familia, pero la tenían en el patio bajo la lluvia y el frío para que se fuera, y la perrita triste y enlodada se quedaba en una esquina, hasta que mi hija y yo la trajimos a nuestra casa.

Desde ese momento, Nala se veía súper feliz, brincaba de un lado a otro de júbilo y felicidad, y poco a poco se fue adaptando a la familia.

Como había sido abusada, cada vez que le hablábamos se paralizaba y se orinaba, pero cada vez que mi esposo llegaba de trabajar, Nala se levantaba de donde estuviera y se salía una y otra vez al patio.

Después de un tiempo, ya no se salía, se iba a una esquina y desde ahí nos observaba, poco a poco se iba acercando.

Mis hijos siempre han sido muy cariñosos con su papá y él con ellos, Nala se quedaba viendo asombrada cómo jugaban entre ellos, pasó el tiempo y ella se fue acercando a la puerta especialmente a la hora que se oía el carro cuando él llegaba, luego ella era la primera que lo recibía y se ponía loca de contenta.

Nala se sentía muy sola, por lo que decidimos buscarle un perro para que le hiciera compañía. Vimos un anuncio sobre un perro akita que daban en adopción en San Diego y fuimos con mis hijas y Nala a conocerlo.

Cuando llegamos, el dueño nos enseñó a dos perros akitas uno igual a Nala y el otro era blanco. Caminamos con el perro que se parecía a Nala y el perro ni la miró, ni ella a él.

Luego caminamos con el perro blanco, este se puso muy inquieto queriendo acercarse a Nala, teníamos miedo de que la mordiera, pero nada de eso pasó, sino al contrario, cuando se acercaron los dos se pusieron muy felices. Yo nunca había visto algo así, se me hacía increíble que un perro actuara así, me di cuenta de que hubo una atracción, química muy fuerte, flechazo entre animales, se parecía a Pepe Le Pew (el zorrillo de la caricatura que enamoraba a una gata que se pintó la cola por accidente) Nala se dejaba cortejar.

Nala se acercó a mi hija. Se paró frente a ella y le dio un beso en la mejilla. Mi hija comprendió lo que

Nala quería y me dijo "Nala quiere al perro blanco" y le pregunté: "¿cómo sabes? "¿No viste que Nala me besó la mejilla? aseguró, y me dijo "cómpramelo, cómpramelo, cómpramelo" y si no lo hubiera visto no lo hubiera creído, un perro súper enamorado, y yo dije "esto sí es amor a primera vista". Así fue como lo trajimos a casa.

Ya en el carro me di cuenta de que el perro estaba enorme y me preocupó mucho cómo íbamos a educar al perro, Nala ya estaba entrenada, sabía convivir con nosotros, sabía ir al baño, era muy discreta, educada y alegre; increíblemente, ella poco a poco fue educando a Niko, nuestro nuevo integrante perruno.

El amor entre Nala y Niko ha traído mucho balance al ambiente de la casa y eso lo sentí muy presente en los días que más lo necesité. Con el rompimiento del matrimonio sentía mucha tensión, incertidumbre, caos ambiental, algo que te tensa tanto que sientes que en cualquier momento estalla y se vuelve locura, los veía y ellos se acercaban y nos daban amor a cada uno de nosotros, como si supieran lo que en ese momento necesitaba el alma, "amor incondicional".

En ese tiempo, no me inclinaba a nada, me sentía como una hoja del árbol que cae a un río y se deja llevar por la corriente, no ponía resistencia ni atención a nada ni a nadie. Era como ponerme en modo supervivencia. Un día a la vez (canción: Yesenia Flores), de solo vivir sin esperar nada de nada. No me acercaba a mis hijos porque no quería que me vieran lo devastada que estaba, pero Nala y Niko estaban ahí, distrayendo y atrayendo la atención. Ellos ayudaron mucho a mantener el amor, armonía y calma que un día hubo en nuestro núcleo familiar y que mis hijos tanto necesitaban.

Cuando di por terminada la relación, me salí de mi recámara y me acomodé en la sala. Me sentía perdida, no encontraba mi lugar, extrañaba mi cama. Los sillones, aunque se hacen cama, están muy acolchados y calientes, por lo que puse una colchoneta al ras del piso "no quise meterme a los cuartos de mis hijos porque quería respetar su privacidad y también quería tener tiempo para estar sola" y analizar mi situación.

El techo de la sala es muy alto, fresco y espacioso, aunque me sentía cómoda, no me podía acurrucar y menos dormir. Había visto un documental de cavernas y cuevas en el mundo, y de repente me vi en una cueva fría y sola, con un hueco en mi corazón ese día, fue uno de los momentos en que he sentido la soledad en todo su ser. Al siguiente día lo mismo. Un día me sentí diferente, pude dormir y me sentí acurrucada, me desperté descansada y contenta, de repente oí unos ronquidos y era Niko, estaba al lado mío. De ahí, todas las noches se dormía alrededor mío, nunca me volví a sentir sola.

Encontré un mensaje que decía que los perros son un protector energético, que absorben vibraciones en desbalance del ambiente y ellos a su vez se limpian entregando a la familia un amor incondicional. Hay animalitos en el refugio de animales *"shelter"* en espera de ser adoptados y darte amor y apoyo incondicional cuando más lo necesites.

Nala y Niko se enfermaron continuamente en el tiempo que tenía la crisis en mi matrimonio, cuando me percaté de esto, les puse más dedicación y empecé a cuidarlos más, así como ellos me cuidan a mí y a la familia, les pongo sus *"gemstones"* piedras sanadoras que purifican la energía, les preparo aceites con hierbas y *"spray"* para balancearlos y regresarles su vitalidad. Además, salimos a caminar constantemente, especialmente en lugares donde hay mucha vegetación para que tengan conexión con la tierra y se mantengan saludables.

¡Qué experiencia! Quién me iba a decir que unos perros me iban a ayudar en este trance de mi vida. Aprendí a valorar más la naturaleza y sus dones divinos y respetar y valorar a las mascotas que vienen a nosotros con un propósito; nosotros los necesitamos más que ellos a nosotros.

Ellos cuando se sienten mal se acercan a mí con su mirada triste y con su actitud se hacen entender, me dicen con su mirada que no se sienten bien, es como telepatía porque siento su expresión y yo les atiendo con mis remedios caseros.

Cuando comencé a hacerlo mis hijas se reían de mí, me decían "¿y qué te dice Nala? ¿cómo te dice?" "manta (manita) me siento mal" y se reían, pero al final se convencieron. Aunque sí llevamos a los perros al veterinario en caso de que se sientan mal, se tardan un buen tiempo en recuperarse y con mis remedios es más rápido. Al final mis hijas aceptaron que mis remedios naturales surten efectos y ahora me dicen "mamá, Nala no se siente bien, ¿la puedes curar?" y Nala con su mirada me dice que sí.

Esta es la historia de mis perros desde que llegaron a la familia y como me apoyaron. Me pareció bonito compartir esta historia

Mi hija me sugiere que haga una línea de productos holísticos para mascotas. Si quieres uno de los productos que le pongo a mis perros mándame un email sanacionparamismascotas@gmail.com

CONOCÍ LA SOLEDAD

No me podía encontrar. Me sentía yo con todo mi ser, sin nadie, era como si me hubiera descubierto por primera vez.

Desde que naces tienes a tus padres que están ahí, para ti, tus hermanos, amigos, luego marido e hijos. De repente, eso que te sostiene ya no está *"esposo"*. En mi caso, un día todos los afectos que conocía estaban ahí, pero no me podían dar la mano, porque, aunque me la dieran yo no la aceptaba.

Cuando me preguntaban, yo sentía sus palabras vacías. Cuando me querían apoyar, yo me alejaba. Ahora lo analizo y pienso que es el alma que quiere ser y estar solo con uno y uno nunca ha permitido ese encuentro de reconocimiento compenetración y pertenencia. El ser, tú y tu alma, entonces ves la realidad de tu renacer, sola.

Las experiencias más duras de la vida las tienes que vivir sola, y que nadie, nadie te puede ayudar, eres tú y solo tú afrontando la vida, así de cruda, así de real, sin anestesia. Cuando pasas por esa experiencia y la superas, entonces sabes a qué sabe la vida, y puedes disfrutar, reír, porque te has reconciliado contigo, porque tuviste que haber soltado todo el confort que conocías para ser un ser único.

Sabes que te tienes solamente a ti y nada más a ti, naces sola y sola mueres. Cierto día, vi una película mexicana en la que me movió mucho una frase que escuché al ver la película, que decía: *"No habrás llegado, hasta que todo lo hayas perdido"*, ahora lo pienso nuevamente y sí, así es.

NO MÁS ENGANCHES EMOCIONALES, SOLTÉ EL MORRAL

Me sentía perdida, pensaba una cosa, sentía otra, y hacía otra.

No me voy a hacer más daño, no más añoranzas, ni ir al pasado. Él no estaba donde lo buscaba, su alma, su esencia, sus ilusiones y pasiones ya no estaban aquí conmigo; no oí más música romántica que me lo recordara, no vi fotografías en las que estuviéramos enamorados y la foto de mi boda la tuve que guardar donde no la viera más.

Evité toda emoción, no le iba a dar ni un chance a la emoción para que me revolcara. Un día, pensaba una cosa, y otros días, totalmente otra. Cuando veía la foto de mi boda, sentía un hilito de ilusión que estaba a punto de reventar y lo trataba de afianzar, me decía, *"¡cómo voy a dejar esto que fue tan bonito! tengo que luchar"* y me enganchaba, me sumergía en un pozo de emociones donde me hundía y me impregnaba del dolor, desilusión por lo que había adentro y que no quería ver, lo cubría con un velo, de donde me costaba mucho salir, y cuando al fin salía, salía toda desilusionada, hecha pedazos.

Yo decía una cosa, pensaba otra y hacía otra, pasaba y pasaba más tiempo y la vida se me estaba llenando de amargura. Tenía que alinearme entre el decir, hacer y pensar.

Me iba a basar en la decisión de terminar con esta relación que me hacía mucho daño, no iba a permitir que la duda se atravesara en mi mente una vez más. Muchos recuerdos, emociones, pero ya no me iba a permitir tambalear. Desde ese momento en adelante, cada que recordaba algo no le permitía tocar mis sentidos, no le daba atención, ni ponía resistencia, y no lo trataba de evitar, porque cuando más quieres evitar, más persiste, me ponía firme en no darle mi sentimiento ni tiempo a nada relacionado a él.

La mente te juega chueco, de repente empiezas a oír en tu mente una canción del recuerdo donde te transportas en el tiempo de los recuerdos, cuando pasaba esto, trataba de poner mi atención en algo más. Una emoción traía otra emoción y luego otra.

"Educa a tu mente y serás libre" y fue lo que hice, educar a mi mente para tener paz y solté el morral emocional.

ADMIRACIÓN Y RESPETO

Cuando se pierde la admiración y el respeto hacia tu pareja se pierde todo, no te importan sus creencias, imposiciones, opiniones, su desamor, lo ignoras todo, ya no me enojo ni me molesta lo que haga, diga o piense, ya no hago dramas.

Él se dio cuenta de esto, los desafíos y retos eran cada día más fuertes por sentirse ignorado, hacía todo por llamar mi atención y ahora él creaba los dramas, me quería desequilibrar a toda costa, pero yo tenía más fortaleza y tolerancia, podía manejar mis emociones sin ningún arrebato y ya no caía más en sus trampas psicológicas.

Todo lo que me decía lo analizaba y le contestaba sin ninguna inclinación emocional, la emoción me había revolcado, martirizado y no le iba a permitir más, esto lo desequilibró más a él que a mí, porque ya no me tenía en sus manos, me zafé de su control y eso le dolía hasta los huesos.

¿SE REPITE UNA Y OTRA VEZ LA SITUACIÓN? ¡ES UNA SEÑAL PARA SOLTAR!

Me sentía muy triste y afligida, las peleas volvieron y también su falta de interés.

Cada una conoce perfectamente a su pareja, sabe cuándo miente, cuando anda en amoríos... tu instinto te lo avisa. Al igual, él me conocía, y sabía que me daba cuenta cuando iniciaba una nueva relación. Yo pensaba que las mujeres eran unas ofrecidas y que me lo querían quitar y eso no lo iba a permitir, ¡tenía que salvar mi matrimonio!

Era un martirio, no sé por qué fui tan tonta, cuando le comentaba a alguien de confianza sobre mi situación decía: "¡pelea por tu matrimonio!, ¡es tu marido!, ¡es el padre de tus hijos! ¡Tienes un matrimonio de muchos años! ¡no se deben tirar a la basura! ¡y que una tipa se vaya a quedar con todo lo que tú trabajaste! ¡Lo que estás pasando, les pasa a todos los matrimonios! ¡así se ponen a esta edad! se sienten jóvenes y quieren conquistar a quién se le ponga enfrente".

"¡Ah! ¿entonces no es tan trágico como lo creo? ¿Lo dejo pasar una vez más?" eso pensé. ¡Pero lo agarró como deporte! la situación se volvió insostenible, ¡sabía que iba a dar todo por el matrimonio, se ausentaba por mucho tiempo, él pensó que yo lo iba a estar esperando y seguir siendo la misma mujer abnegada y sufrida! La situación me cansó y me vi en la misma escena una y otra vez.

Me pregunté ¿por qué tengo que estar pasando esto? En el fondo de mi conciencia sabía lo que tenía que hacer, tu intuición te grita las verdades en la cara, pero no la quieres oír, no le haces caso, si fuera así, te evitarás mucho sufrimiento y pérdida de tiempo.

Cierto día, mientras leía un artículo, vi un mensaje que decía, *"Dios ya te dio muchas señales para que sueltes a esa pareja tóxica, si no lo haces tú, entonces Dios lo va a hacer a su manera y prepárate porque ahí, sí vas a saber lo que es sufrimiento, sueltas o sueltas, porque Dios no quiere esa pareja para ti"*. Pero a veces, nos aferramos, porque el ego no te deja soltar.

El terapista me dijo que las situaciones se repiten y repiten hasta que les das solución. Otro mensaje que apareció decía que *Dios sabe que no eres feliz y pone la misma situación para entrar en conciencia, hasta que te liberas.*

Una amiga que asistía a la Iglesia un día me contó que ella pensaba que la debilidad de los hombres eran las mujeres y por eso la tentación se les presentaba y los vencía. Entonces, ella decidió que cada vez que pudiera, iría a la iglesia rezar para que la tentación se alejara de su esposo, y me decía: *"No sé porque Dios no escucha mi oración".*

PONER LÍMITES

La infidelidad se siente, así, como cuando algo cambia en el ambiente, él no es el mismo de antes, todos los focos rojos se prenden y ves señales de una infidelidad.

La gente prefiere no saber. Ignorar para no sufrir o afrontar la realidad. No quieren despertar por miedo, y es que el miedo te paraliza y no sabes qué hacer ni cómo actuar. Piensas que esto pasará, y no, no pasa, ahora tu pareja tiene una conexión más íntima y profunda con otra persona, y lo que querías evitar, se vuelve contra ti, sientes que el cielo te cae encima, su desapego y desamor son tu peor tormento.

Lo pudiste haber afrontado antes de que causara tanto dolor y ponerle una solución con astucia, inteligencia, firmeza y darte tu valor. Todo lo que podrías haber hecho pierde sentido y valor, él se dio cuenta de alguna manera que tú sabías de su infidelidad y no hiciste nada, y en lugar de parar, le dio con todo porque sabía que no te iba a perder.

Así me lo comentó una amiga, ante este comentario le pregunté: "¿por qué no hiciste nada?" A lo que respondió: "tenía miedo, pensé que se iba a cansar del juego y al final regresaría".

CUIDADO CON EL DINERO

El dinero es lo primero que se fuga cuando un matrimonio está en crisis. Cuando un hombre casado se sale del redil, comienzas a darte cuenta de que ya no recibes regalos de cumpleaños, aniversarios, detalles especiales. Un corte drástico de los gastos extras por comidas fuera de casa, paseos, y lo peor, es que el cheque ya no llega igual a tu casa; aunque ya no se hacen gastos como los mencionados... ¿dónde se está gastando el dinero?... Creo que es hora de revisar su estado de cuenta.

Cada pareja, tiene su propio método de organizar sus finanzas, en mi caso, nosotros como matrimonio nunca hablamos de tener un plan de cómo manejar el dinero de la casa, ¡fatal error! y se vuelve peor cuando la familia entra en crisis.

La confortabilidad y confianza ciega en la pareja genera estupidez en el mundo financiero de la mujer.

ABUSO ECONÓMICO

Personalmente, no tenía un ahorro especial para mí, yo trabajaba todo el día en la casa y le dedicaba el 100% a mis hijos y a él, había confianza.

El problema empezó cuando él cambió y se llevaba todo lo que podía. Al principio no me percaté, cada día él decía que gastaba más y así se iba acortando los gastos de la casa, yo por no afrontar la situación y sentarme a hacer cuentas exactas de lo que entraba y salía de la casa, él fue tomando más y más poder sobre el dinero y me empezó a decir que yo no hacía los pagos a tiempo. Esto era mentira, pero fue una excusa perfecta para que él tomara control del manejo de todo.

Sabía que él tenía la decisión de llevarse todo lo que pudiera de la casa, yo con la desolación, desengaño y la tristeza no quería enfrentarlo, y dejé que se llevara todo lo que pudiera.

Me pedía que trabajara porque quería que yo pagara mis gastos, porque según él no tenía la obligación de pagarme nada y siempre checaba el refrigerador para ver si había comprado comida extra, y si algo se echaba a perder, se enojaba. Si me veía unos zapatos nuevos, se molestaba y me reclamaba por que compraba algo nuevo, esto fue lo más terrible de lo terrible y no hay que esperar a que uno llegue a esos extremos de tener que soportar abuso económico.

Esto me dio una lección de vida y desafortunadamente uno reacciona muy tarde, en este punto, tenía que haber afrontado la situación, al momento de percatarme, haberle puesto un remedio, pero por miedo, me quedé callada y perdí más. Al final la situación llegó a un punto intolerable.

Mi abuelita que está en el cielo quedó viuda y siempre ahorró, era autosuficiente y me decía, *"mija, ahorra tu dinero, no te gastes todo, piensa en el futuro"*, y la oía, pero no lo hacía; yo era muy organizada en mis gastos, y sí tenía un extra, pero no un ahorro fijo exclusivamente para mí. Ojalá lo hubiera hecho... pero el "hubiera" cuando estas en una situación de caos te duele todavía mas. Una mujer siempre debe tener un ahorro para ella, en caso de emergencia, en caso de que se divorcie o quede viuda, porque nada es seguro en esta vida, solo lo que uno haga por sí misma.

En una entrevista a una escritora que tenía mucho éxito, la escuché decir que fue una mujer abandonada por su esposo y le dejó a sus niños pequeños, tenía una situación económica muy difícil, pero ella tenía la ilusión de un día de salir de ahí, soñaba con viajar alrededor del mundo sola, hizo el propósito de ahorrar un dólar por día, sin tocar por nada del mundo sus ahorros pasara lo que pasara, cuando sus hijos crecieron lo suficiente para ser independientes, ella se fue a viajar sola con el dinero que había ahorrado, después de tanta lucha hizo realidad su sueño. Elizabeth Gilbert's memoir Eat, Pray, Love chronicles the journey of self-discovery.

VIOLENCIA ECONÓMICA CONTRA LA MUJER

Te quita todos los recursos económicos, te sientes secuestrada en una relación sin cadenas físicas, tus cadenas emocionales son más fuertes. Uno busca al agresor fuera, pero está dentro en el seno de tu familia, esto es más difícil de notar porque tú lo escondes y disimulas muy bien. Soportas un maltrato por vergüenza, y te dices constantemente, *"¡esto no puede estar pasándome!"*, tienes miedo al qué dirán.

A veces lo confrontas diciéndole cómo te sientes ante su actitud, él te responde de que no es verdad, que no es así, que tú lo interpretaste mal. Este tipo de abusos hace que el amor pase a segundo término, y aunque el amor no se disuelve de un minuto a otro, el tuyo -con tanto maltrato- se disolvió.

Sabes que debes terminar la relación y actuar sin emoción, ser objetiva, asertiva para tu liberación.

LA ECONOMÍA DE LA MUJER

Para la mujer, el ahorro debería de ser una práctica primordial para seguir adelante, porque nada es seguro, un matrimonio no compra la seguridad de nada ni de nadie.

Asimismo, en las estadísticas se demuestra que el hombre muere primero que la mujer, aunque la mujer tiene sus hijos, siempre va a estar condicionada a lo que quieran los demás por no tener solvencia económica.

Cierto día, conocí a una señora que trabajaba con una señora mayor que le pagaba muy bien, me contó que a su patrona le gustaba jugar en las Vegas y un día le hablaron de invertir su dinero en acciones. A ella le gustó la sugerencia y comenzó a invertir unos centavos, lo tomaba como un pasatiempo. Fue aprendiendo poco a poco, hasta hacerse experta en el tema, con esto ganó mucho dinero.

Cuando una mujer se hace experta en algo que le gusta, lo convierte en oro. Ella heredó a sus hijos en vida, se quedó en su casa propia, tenía tres personas que la cuidaron hasta su muerte, todo lo planeó muy bien.

Siempre he dicho y lo creo firmemente, de que la mujer mueve la economía del hogar y del mundo. Nosotras somos las que movemos la economía, si el marido quiere comprar algo nos pregunta y si decimos que no, es "no", y si lo aprobamos se hace, el marido no va a aventarse una bronca con su mujer por un desacuerdo.

Aquí en Estados Unidos la mujer viste al hombre, le compra una camisa y un pantalón de regalo cada mes y unos zapatos y se viste como ella quiere, da lo que quiere de comer a toda la familia, paga las cuentas, mueve todo en el hogar.

No hay vuelta en este asunto, la mujer debe actuar con inteligencia y crear un buen soporte económico ahorrando y gastando con inteligencia.

El mejor patrimonio que puedes crear durante un matrimonio, o en cualquier momento de tu vida, es invertir en una casa. En el caso de que lo hagas dentro del matrimonio junto a tu pareja, esto no solo le dará estabilidad al hogar, sino también te hará sentir respaldada y tranquila porque tienes algo que te pertenece y que posteriormente va a pertenecer a tus hijos.

Ahora bien, suele suceder que muchas de nosotras no le damos importancia a esto y el dinero se desvanece como agua entre las manos. Una amiga colombiana me decía: *"Compra casa"* y yo le decía que no porque me iba a ir a México, entonces ella me respondía: *"Ustedes los mexicanos siempre tienen la maleta en la puerta, y no hacen nada, no son ni de aquí ni de allá."*

Lo medité y me identifiqué con lo que ella decía porque me sentía sin estabilidad pues no había para mí un sentido de pertenencia ni aquí, ni allá, pues sentía tristeza profunda porque siempre añoraba lo que había dejado atrás, entre eso mi casa, pero no veía que podía crear algo así de nuevo hasta que por fin tuve mi casa, ya sentí que pertenecía a este lugar y tuve la confianza para interactuar en la comunidad y hacerme parte de ella.

¿QUÉ SABES HACER?

Parece un título de película, y pues sí lo es, y me gustó el título y la historia. Una joven con dos niños pequeños, el marido se sale por cigarros y no regresa más. Ella, desesperada, empieza la búsqueda descubriendo que el marido tiene un amante, un hombre joven y que está con él en Acapulco.

La esposa abandonada, queda sola sin dinero, y sin saber hacer nada. Tiene una vecinita que cuida a los niños. Buscó a su mejor amiga que tenía una funeraria. Mientras esperaba que la recibiera, se fue a sentar en uno de los velatorios y ahí le dio un ataque de llanto y se desmayó por la angustia que estaba pasando. La familia del difunto se preguntaba *¿quién es?* y por qué lloraba con tanto dolor. La familia del difunto empieza a sospechar que es la amante del muertito. La amiga la recibe y le platica su pena, llora y llora, y le pide un trabajo.

La amiga le pregunta: - *y tú, ¿qué sabes hacer?*
Ella responde:
- *pues nada, después que me casé dejé todo por atender el hogar.*
La amiga le dice: - *piensa en algo que sí sepas hacer bien.*
- *pues bien, bien, es llorar, llorar y llorar.*

- a lo que la amiga incrédula le dice: ¿de verdad?
- sí, lloro muy bien, ¡hasta me desmayo!
- pues estás contratada, ¡vamos a agregar en los paquetes de la funeraria a una llorona para sus muertos! [2]

NEGLIGENCIA O ENGAÑO

La falta de información y conocimientos en contratos, trámites, procesos legales, aseguradoras, préstamos, testamentos etc., trae como consecuencia que sean mal procesados por negligencias de uno mismo, por no tener los papeles en orden y no asegurarse al 100% que esté correcto, pues crean pérdidas irreparables en las familias, que a veces es muy difícil o imposible de reparar, y sobre todo recuperarse y esto puede llevar a una familia a la ruina total.

Una familia es una institución y tiene que estar en función de la sociedad. Esto requiere tener los servicios y trámites para tener una casa, seguranza de carros,

---

[2] Película. Te daría mi vida, pero la estoy usando. Cecilia Suarez

seguranza de vida, servicios médicos, escuelas, compra de casa y títulos de bienes, etc.

Antes de iniciar el trámite del divorcio obtuve toda la información necesaria que necesitaba para realizar cada paso, eran muchos papeles que reunir, entre ellos el título de la casa, en el cual debía estar mi nombre como co-dueña, sin embargo, no era mi caso, porque nunca le di importancia a este tema, pero al iniciar el proceso me di cuenta de que era algo muy importante.

Cuando ya estaba en la corte tramitando mi proceso de divorcio, encontré a una señora en la línea junto a mi que se veía muy mal, le pregunté si estaba bien y me respondió que no, que acababa de darse cuenta de que su ex esposo hipotecó la casa por $400,000.00 estando la casa casi pagada, y ahora ella tendría que hacer un pago mensual de $3,000.00 si quería seguir viviendo en la que se suponía que era su casa, porque él se fue, pero nunca le dijo nada, hasta que la llamó para decirle que averiguara sobre el estado de la casa y un pago que estaba pendiente porque si no la iban a llegar a sacar, y que ella tenía que ver como pagar.

Sabiendo esto, me percaté de varios trámites que tenía que volver a hacer, pero que, si no me hubiera dado cuenta a tiempo, hubieran resultado en pérdidas muy fuertes para toda la familia, (mis hijos y yo) ahora la institución soy yo.

La mayoría de los que venden te dicen lo que quieres oír, pero en el papel ponen lo que es verdad, revisa tus papeles uno a uno y consulta con otras personas que no tengan ningún interés en venderte algo. La mayoría de la gente deja todo para después y no pone interés, pero cuando se complican las cosas, buscamos desesperados que alguien nos ayude a solucionar el problema, cuando lo pudimos haber evitado

En pláticas con mucha gente, fui descubriendo los daños que les han causado esta falta de información, engaños o negligencias de ellos mismos por confiar en que todo está bien.

No importa lo que te digan, busca tres opiniones   diferentes hasta que estés totalmente convencido que es la verdad.

A continuación, diferentes historias que me han contado al respecto:

Celia cuenta: Mi esposo estaba muy enfermo, pero nunca pensé que se iba a morir, cancele una aseguranza de vida que pagaba 200.00 al mes en caso de muerte la casa se pagaba, pensé que me ahorraba unos pesos y cuando el murió no pude pagar la casa y la perdí, tal vez, si hubiera tenido seguro, todavía tendría la casa y con un solo trabajo hubiera subsistido, pero ahora, debo tener tres empleos para poder pagar un pequeño apartamento y abandonar por completo a mis hijos.

En otro comentario, Marcela dice: Se había divorciado, se quedó con la casa, pero durante la temporada de incendios su casa fue afectada, quemándose por completo. Por no tener seguro, no la pudo reconstruir. Al final la perdió.

Gloria cuenta: Al fallecer mi esposo, me voy enterando, de que mi nombre no estaba en su seguro de vida. Los únicos nombres que aparecieron en ese documento fueron los nombres de sus padres. Por no informarme, ni inmiscuirse más en los documentos importantes para mi protección, me quedé sin nada, nunca se me había cruzado por la mente de que mi nombre no estaba en ese seguro de vida. Jamás des nada por hecho.

Nancy comenta: Estaba feliz, porque según mi entender, ya se había terminado de pagar nuestra casa, pero los requerimientos de pago seguían llegando. Cuando investigué sobre el préstamo, decía que estaban pagados los intereses y cuando terminara esto, comenzaría a pagar la deuda de la casa. ¡El prestamista me engañó! Tantos años sin ver la mentira y yo nunca le pregunté a alguien más.

Mi esposo nunca quiso que compráramos un arreglo de funeral, un terrenito para cuando uno descanse en paz, siempre me decía no traigas la mala suerte, cuando enfermo y lo desahuciaron estábamos en una crisis económica terrible, no puedes ni procesar el dolor por la preocupación de que vas a hacer, me acuerdo que saliendo del doctor y antes que sentir "pesar" estaba furiosa con él, le dije que nunca hizo lo que tanto le pedí, nos gastamos el dinero en... no se ni qué? ¿Y ahora? ¿Dime en que basurero quieres que te tire?

Otra señora me dijo que la mala racha no llega sola: chocamos y andábamos en taxi, veníamos del doctor, él se había sentido mal meses antes, nos dijeron que ya no había remedio, lo habían desahuciado, pensaba y pensaba, como nos fue a pasar esto, necesitábamos dinero para un tratamiento especial, pero no, no teníamos el dinero, siempre solucionándole la vida a alguien más, siempre prestando dinero que al final es regalado, porque como estas aquí en Estados Unidos, pues claro que no te lo van a pagar, y ahora quien me va a ayudar a solucionar esto, pensaba y pensaba, nos calló la noche, yo temblaba de miedo, las calles estaban bien oscuras y peligrosas, le decía camina más aprisa, tenía un torbellino de sentimientos encontrados, sentía tanta impotencia y lo voltee a ver y le dije: ¡Sí claro, como tu ya te vas a morir! Luego me arrepentí.

Se murió mi marido, el arreglaba todo, tengo que hacer el trámite de la pensión y no sé cómo le voy a hacer, no tengo ninguna clave. Ahora para todo piden claves. Si pudiera regresar el tiempo le pediría que llene todos los datos que debe uno saber, ¡si pudiera lo haría, créemelo! son meses de trámites por no saber la información correcta.

Todas estas situaciones son muy devastadoras, así que haz una lista de cada trámite que sepas que es importante, checa cada uno de los papeles y lee, si cambiaste de banco, has el cambio en la cuenta, se pierden miles de dólares por qué no te diste cuenta de que no cambiaste la información y no tenías los contactos registrados para que te contacten, se pierden los beneficios porque se cancela la cuenta.

Infórmate e investiga, sobre todo, que sea correcto y esté en perfecto orden. Muchas de las penas son más fáciles de llevar con dinero, así que ahorra, ahorra, es una angustia menos.

Cuando se pueden hacer las cosas en vida le evitas un dolor muy grande a los que dejas atrás, después son muchas pérdidas y lamentaciones. Deja todo por escrito, para que los beneficiarios sepan toda la información de los bienes, en un lugar seguro para que cuando se necesite este ahí y no quieras resucitar al muerto.

Un tío compro un terreno y lo dejó como inversión, el murió y a la esposa se le olvidó el asunto, poco después fueron con su familia de paseo para recordar viejos tiempos y vieron que pasaba una carretera por el terreno, el estado lo había decomisado, fueron a reclamar y les dijeron que el gobierno quiso comprar ese terreno e hicieron todo lo posible para contactar a la persona dueña del terreno, pusieron anuncios en el periódico, hasta que pasó el tiempo de ley, lo pudieron decomisar y ya no había nada legal para recuperarlo, les dolió con toda el alma porque eran hectáreas y valía millones.

Te comparto otro caso: Mi abuelo prestó unos terrenos a sus hermanos, cuando mis tíos estaban chicos mi abuelo murió, se olvidaron del asunto y fueron los hermanos de mi abuelo quienes se quedaron con los terrenos y ahora los hijos son los que se quedaron con una herencia que no les correspondía.

✔️ Lo más recomendable es hacer un *"Living trust"* o fideicomiso. ¿Qué es un fideicomiso? Es una disposición por medio de la cual un testador deja su herencia o parte de ella encomendada a una persona para que, en un caso o tiempo determinado, la transfiera a otra, o la invierta de un modo que se le indica.

CAPTAR MI ESTADO DE ÁNIMO

Terminaba un conflicto y empezaba otro, era una lucha emocional muy desgastante, en la que me agobiaba hasta agotarme, me sentía devastada, tenía el alma hecha jirones.

Una de las últimas batallas que estaba peleando, la tenía que haber enfrentado y terminado desde que me di cuenta de que ya no tenía remedio la relación, solo tenía que hacer recuento de los daños y rescatar lo que pudiera sin poner resistencia, ¡pero no!... prolongué la situación para ver si la relación se recuperaba, desde que él cambió, ya no tenía remedio la relación (su frialdad y su actitud tajante y falta de interés era evidente que quería romper con la relación) ¡Pero no! ¡La mujer no piensa ni actúa así! ¡Uno sufre de a gratis!

¡No encontraba consuelo! Pero siempre llega un aliento en donde menos te lo esperas: fui a visitar a mi hermana y uno de mis hermanos estaba en su casa de visita, y el traía un libro que se titulaba: *CRISTO Y YO* y me dijo: toma este libro, ábrelo. Dios tiene un mensaje para ti.

El mensaje decía: *"Mi bien amada alma, te he visto llorando. Ah, ¡tus lágrimas!, estás pagando muy caro el precio de tus errores pasados, nunca percibiste*

que el darte tantos gustos te iba a costar tan caro,
¿verdad?

Yo te he perdonado, pero estás sufriendo por no
poder olvidar tantas cicatrices y recuerdos que tienes
en tu mente y por más que luchas no puedes olvidar,
ven acá, sé dócil.

Yo te ayudaré, necesito un poco de humildad de ti,
necesito sencillez profunda y aceptación a mi voluntad,
te he permitido que vivas todos estos estados del alma,
de un ánimo depresivo para que puedas comprender a
los demás y no juzgues nunca, para que seas más dócil
y comprensiva en todo momento, para que ayudes a
través de tu existencia a todas las almas que como tú
van con el alma hecha jirones, porque todos, alma mía,
llevan su alma destrozada por tantas cosas que les
suceden, que ellas mismas se provocan muchas veces
por compensaciones, otras por errores, que no acaban
de comprender que se van lastimando solas, procura tu
captar tu estado de ánimo, no desesperarte, recuerda,
te basta mi gracia.

Ten paciencia, ten paciencia, ponte en oración
profunda y espera a que la paz te venga por añadidura
porque todo puedo darte, con tal de que seas dócil y
humilde; te quiero llenar de mi bondad para que tú
inundes a todos los que te rodean, pero hoy, esas

lágrimas te hacen bien, porque estás lavando tus errores; cuéntales a los que te rodean que el pecado siempre cuesta lágrimas. Ven, alma amadísima, yo te voy a consolar".[3]

De ahí en adelante, dejé que las cosas fluyeran y ya no me clavara en las emociones que me hacían quedar estancada, frustrada y paralizada que no me permitía pensar en soluciones y acciones que tenía que afrontar y ejecutar.

Este mensaje me dio paz y así vinieron muchos más de diferentes fuentes, sabía que tenía que dar a conocer este mensaje y fue lo que me inspiró a escribir este libro para orientar a personas que estén pasando un proceso de divorcio o separación y que sepan que todo tiene una solución.

Espero que te pueda servir. Dios me hablaba y yo lo empecé a escuchar y a confiar en él.

---

[3] Libro CRISTO Y YO Anamaria Rabatte

EL MIEDO ME PARALIZABA

¡Tenía miedo!, miedo a perder a la persona con la que compartí más de la mitad de mi vida. Él era parte de mí, sentía que me arrancaban parte del alma.

Su partida era inminente, sentía que era como arena en mis manos que se desvanecía, y me preguntaba ¿por qué tanta lucha? ¿por qué tanto miedo y dolor?

La lucha era conmigo misma: él ni siquiera se daba cuenta de todas mis batallas emocionales y si acaso se percataba, no le importaba. Era una lucha, ¡pero no sabía contra quién peleaba!

Ya cuando todo había terminado lo pude ver, lo pude sentir. El miedo me paralizaba, aun así, peleaba y cuando lo sentía con intensidad me mantenía firme en no perder el control de mí misma.

Estaba viviendo un duelo, una pérdida. Me sentía deprimida. Me preguntaba, ¿por qué? y encontré la respuesta: ¡Se pierde parte de ti cuando esa persona se va!

Cuando una pareja se une, se forma una sola estructura energética que forma parte de tu esencia, energía, olor y aura, y se integran a esa persona haciéndose uno solo. Cuando se rompe la relación, ya no hay intercambio de energía que nutre y la persona automáticamente se siente deprimida, desolada, triste, y marchita entra en estado de abstinencia.

Entra en un shock emocional es por eso por lo que uno le tiene miedo a la pérdida y la evita para no pasar por ese dolor.

ENFRENTAR EL MIEDO

El pavor me paralizó, me di valor me enfrenté al miedo.

Cuando miras a través del miedo, temes perder, por estar insegura, te sientes perdida y por miedo a no perder, pierdes más.

Ves el miedo, lo observas, lo sientes, lo palpas y te das cuenta de que lo aprendiste desde niña, siempre estaba ahí, escondido y cuando intentabas algo nuevo, se despertaba, pero aun así lo retaba y vencía, cumpliendo mis metas, ahora lo sé, después de tanto padecer de miedo, me dije: *"¡ahora que el miedo me tenga miedo a mí!"*

Cruzando la penumbra del miedo, encuentras los logros por los que un día luchaste, y la satisfacción te causa felicidad y una sensación de alivio, paz y cordura.

UN ALMA MARCHITA

El apego con miedo "combinación terrible para una relación"

Cambia la actitud del enamorado que en vez de disfrutar y dar lo mejor de sí, siempre anda alerta defendiendo su amor y está a la defensiva para que no le arrebaten su gran regalo, este a su vez acciona y todo lo que lo enamoró de la pareja ahora se lo empieza a quitar para que nadie vea esos regalos que a él algún día le cautivaron; lo va haciendo poco a poco sin que la pareja se dé cuenta, y si se da cuenta lo justifica porque él, lo hace porque piensa que la ama. La realidad es otra, él no quiere que nadie la vea y aprecie sus cualidades.

Sí, las zapatillas me gustaban, me decía, ¡están muy altas!, el vestido que me encantaba, ¡que es muy llamativo o corto!, el peinado que llevaba, ¡que es para gente joven!, el color que me agradaba, ¡que no es tan bonito! y así me iba quitando el gusto por vestirme para mí, por hacer cosas para mi.

Tal es así, que me percaté de la pérdida, hasta que me quedé sin nada de lo que era antes, pero lo acepté porque dejaba de tener importancia lo que me gustaba, porque, me decía a mí misma, "ya no tengo tiempo para eso, hay cosas más importantes que debo de atender".

Y poco a poco fui perdiendo mi esencia, sentía que me falta algo, pero no sabía exactamente qué, ya no sonreía como antes, ni me atrevía a hacer cosas divertidas, todo lo que hacía era siempre a favor de la familia. Yo, quedaba sin importancia para todo el mundo.

¡Él logró su objetivo! ¡que yo me delegara a un segundo plano! así, ya no sentía miedo de que alguien me pudiera cautivar y me enamorara de otro, porque todo esto me estaba apagando, le daba más vida a él que a mí, la energía que fluía en mí ya no brillaba como antes, mi espíritu se sentía privado, ya no había alimento para el espíritu. Todo eran obligaciones para mí, dejé de asombrarme, todo me parecía cotidiano y aburrido.

En ese momento en el que comienzas a sentirte así es cuando llega la depresión, se marchita el alma, eso que te hacía brillar se ha apagado, se fue la admiración que él alguna vez sintió por mí, ya no te buscaba con su mirada alegre, lo que le cautivaba de ti se esfumó, él mismo la apagó y se castigó, ya no lo haces vibrar, se siente monótono, aburrido, sabe que algo le falta por lo que va en busca de otra persona que tenga un brillo que lo cautive, igual al que un día apagó en ti.

INFIDELIDAD

El infiel se cree muy listo, piensa que todo lo puede, juega con dos frentes y es muy hábil para manejar a la esposa. A la otra le dice la verdad, que es casado y lo tiene que aceptar, si no, no hay juego.

La otra por conveniencia acepta porque para ella no es prioridad, ni tiene valor, es solo una distracción, una relación escondida. Ella juega a que lo quiere y él le suple su vanidad con regalos y atenciones costosas, no le importa ser anulada, anónima, estar escondida, aquí cada cual tiene sus conveniencias bien estructuradas, es un trato, es muy fácil disimular y seguir el juego de seducción, que siente que le da poder hasta que su mismo juego lo atrapa y lo deje al descubierto con la esposa.

Las señales son muy obvias su mirada cambia, su actitud es otra, es como si le hubieran cambiado la programación y es otro. Lo que empieza como un juego inofensivo, termina siendo una trampa donde el cazador acaba siendo cazado.

NO ES AMOR, ES OBSESIÓN

Suplicas como si se fuera a compadecer de ti, él no te ama.

Él no se ama ni a sí mismo: no sabe lo que es el amor. El infiel juega con el amor, juega con los sentimientos de quien le dé su atención, solo piensa en sus deseos, lo que le llena y hace salirse de la realidad.

Las características de los infieles:

- Son dadores de nada, exigencia de todo.
- Son inconscientes, y para ellos la mujer es un juego y un objeto en sus manos.
- Va a doblegar a la mujer con dulzura para llenarse de ella, cuando aparezca una novedad que le llene el gusto, se van sin ningún tipo de remordimiento.
- Su lema, a la mujer háblale de amor y sinceridad hasta que lo crea.

LA MUJER ENTRA EN EL MISMO JUEGO

La mujer dolida de tanto engaño opta por jugar el mismo juego que él, por lo que recurre a la revancha, y se dice para sus adentros: Si tanto te gusta esto, ¡deja ver a qué sabe! "Vamos a jugar el mismo juego que todos juegan".

Entran los dos en un juego y acciones donde usan las artimañas más sofisticadas para engañarse uno al otro, se vive en un ambiente de tensión, arrebato y desamor, donde los dos son esclavos de sus mismas trampas.

Carol se sentía engañada, ya conocía todas las artes de engaño de su marido. Estábamos sentadas en un parque y la vi muy pensativa y le pregunté: *"qué tienes, te noto preocupada"*, ella contestó: *"Oscar ya anda en sus andadas"* Le respondí: *"¡qué pena!"* y ella termina diciendo: *"¿Pena? Ja, ja, quién va a sentir pena es él, él me la hace y yo se la regreso el doble".*

LAS APARIENCIAS ANTE LA FAMILIA TE ESCLAVIZAN

Por guardar las apariencias y la necesidad de sentirte amada, soportas todo tipo de abuso que te convierte en una esclava emocional. Te enganchas a una emoción nociva y ser parte de una relación, aunque sea destructiva.

Lo ves como una necesidad y obligación social, esto te hace actuar como una esclava, porque todo el tiempo vas a estar acechando a la pareja para no perder su amor, aunque con esto se te vaya la vida.

Esto lo haces para no sentirte fracasada en el medio familiar, Al final de tanta apariencia, las realidades no se pueden ocultar y al final terminas sola.

Violan tus valores y derechos primordiales para no perder tu relación, llegando a perderte a ti misma, al punto de no reconocerte. No confundas tu necesidad con el amor, te puedes esclavizar al punto de traicionarte a ti misma.

El escritor Walter Riso, dice en uno de sus libros que donde hay un esclavo, siempre va a aparecer un amo.

Durante una entrevista en televisión de una artista muy conocida y querida que estaba hablando de su divorcio, se veía muy devastada mientras explicaba cómo fue pasar por la ruptura y no aceptarlo por no verse derrotada ante su familia.

Hasta que su hijo le dijo, *"mamá, ya basta, hiciste todo para salvar la relación, esto es demasiado para ti, acéptalo, tu relación se terminó"*. Al ver a su hijo tan afectado por ella, se dio cuenta de cómo en lugar de salvar una familia, la estaba hundiendo en el desamor y desengaño.

¿POR QUÉ ENGAÑA LA PAREJA?

Hay personas que nunca debieron de casarse y formar una familia, pero, aun así, lo hicieron. ¡Se comprometieron! Durante un tiempo se enamoraron de su pareja, pero la vida, sentimientos y emociones los movieron en diferente rumbo y su compromiso se quebró.

No fueron honestos, no dijeron nada a nadie, crearon un mundo aparte donde ellos solo jugaban complaciendo sus caprichos. Mantenían las apariencias para pertenecer al grupo de amigos y familiares, porque sabían que con sus ideas y acciones no podían ser aceptados.

Creo que cada uno tiene derecho a vivir lo que quiera y guste con plena libertad, siempre y cuando sea honesto y no engañe a la otra persona.

Se me hace muy cobarde la mentira, es una bajeza, mantener una falsa apariencia y aun así querer que tu pareja te admire, pues es la persona que mejor te conoce y solo con ver tu mirada, sabe que estás mintiendo.

HACEN DE LA CONQUISTA UNA OBRA DE ARTE

Él piensa que es una desventaja no tener una apariencia física agraciada y cree que nadie lo va a aceptar como pareja, analiza su situación, sabe que tiene que acentuar sus puntos favorables para ser aceptado y empieza a modificar su personalidad.

Se hace más agradable, más atento, complaciente y comienza a entrenarse para mejorar la conversación, empieza a leer mucho para ser más interesante y ampliar sus horizontes culturales, se crea metas en logros personales. Todo lo que cree que es un defecto, lo convierte en una cualidad.

Se reta él mismo para conquistar una chica para él inalcanzable y al final lo consigue, esto lo calma y traspasa la limitación ¡y de ahí a la conquista! La adrenalina que segregó en todo el proceso, detalles, atenciones es un deleite y el sabor de la conquista se le hace un vicio, convirtiéndose en un conquistador con el ego hasta las nubes.

Yo tenía un amigo que decía que él era muy feo, yo no lo veía así, pero él se consideraba "el feo", era muy agradable y divertido, esa idea era un trauma para él. Le pregunté, "por qué piensas eso de ti". Él me dijo que en su casa siempre había oído que él era feo. Te das cuenta de cómo lo que llegas a oír de ti, un comentario negativo cuando eres niño te puede traumar para siempre, si no sabes quién eres y no te aceptas, valoras y te gustas, puedes desviar tu personalidad drásticamente.

Él, para ser aceptado, era muy detallista, amable, ponía mucha atención a los detalles. Él sabía que estas cualidades son las que una mujer anhela. Él sabía que con estas cualidades podía conquistar a cualquier mujer, ya había creado un estilo de conquista y había hecho de esto un arte.

ES CONDENADO A SER INFIEL

¿La infidelidad se encuentra en los genes? Habrás oído decir: Salió igualito a su padre, abuelo, tío, etc.... o ¡Es que es el ojo alegre de la familia, le corre en la sangre! ¿A qué se deberá este comportamiento? ¿Será por el alto nivel de dopamina en la sangre?, ¿en el corazón?, ¿en el cerebro? (Dopamina: es la hormona que produce placer) esto los hace más vulnerables.

Cuando no están en control, su conducta siempre está inclinada a la conquista y seducción. Estos comportamientos predominan en el carácter, cada vez que tienen una oportunidad de conquista, el cerebro produce una descarga de dopamina haciéndolos adictos al placer.

[4]La dopamina presenta una tendencia mayor a ser infieles y más, si esto corre en su genética, que va de una generación a otra, del abuelo, del padre, el hijo, y ahora, él es infiel.

---

[4] Un estudio del Instituto de Karolinska de Estocolmo

LA INFIDELIDAD Y EL MACHISMO

En la época del cine de oro mexicano, el cine culturalizó a varias generaciones, e influyó en la vida cotidiana de las familias, encausando el machismo y teniendo una doble moral; en la mayoría de las películas predomina el hombre macho que tiene a la esposa llena de hijos. El hombre, un enamorado de rabo verde que estaba dispuesto a conquistar a la joven que se dejará enamorar, claro, que para esto debía tener dinero, tierras, etc.

Los señores acaudalados tenían hijos por doquier, todos lo sabían y hasta lo aplaudían, era un orgullo saber que eran hijos del hombre mujeriego. Esto se convirtió en tendencia en la sociedad mexicana y con las películas estas ideas se arraigaron aún más en las creencias de la sociedad.

El hombre en la sociedad mexicana era libre, era la cabeza de la familia y nadie le podía cuestionar ni juzgar. La mujer no tenía más vida, que el atender a la familia y a la prole. Ni pensar en poner límites, ni autoridad en su casa, más bien podría ser considerada como una esclava de la familia y la sociedad.

Ella lo justifica y le quita toda culpabilidad pensando en que él lo merece debido a tanto que trabaja, "un gusto se tiene que dar". Pero en el fondo siempre está esperando un detalle, él por su parte, esquiva siempre la mirada, los hijos se preguntan ¿por qué no le pone fin a esa situación?, porque, aunque no lo admita, ella es la que pone paz y verdad en la familia.

LA INFIDELIDAD SE CONVIERTE EN SU IDENTIDAD

El infiel siempre tiene un cómplice que lo reta a romper las reglas. El primer paso del infiel es muy difícil, después se vuelve un lobo conquistador, le gusta tanto el juego que anda viendo a la siguiente presa. La infidelidad la convierte en su identidad, eso le da un sentido de pertenencia, ama su forma de vida.

Sus principios son negociables, según la ocasión. Ser honesto, ser íntegro, pasa a segundo término, sí, son importantes los valores en su vida, pero tiene doble moral, estos principios los va a aplicar cuando sea necesaria la ocasión, sabe hablarles a las mujeres, es buen actor dentro de la relación, ajusta sus valores, dependiendo de lo que la siguiente pareja tenga en su baúl.

EL INFIEL Y SUS GASTOS EXTRAS

El infiel juega dos frentes, quiere tener a la esposa que lo espere con comida calientita, los hijos recibiéndolo con brazos abiertos, todo especial. En la calle es libre, tiene un mundo a sus pies, un horario variable, un día llega tarde, al otro más temprano. El dinero que gana cubre sus necesidades y para más, se puede dar gustos, está contento porque la vida se ha ido acomodando a sus expectativas. Tiene mujer y *"novia"*, una vida complicada, pero le llena los sentidos.

Estas son unas de las opiniones de *"novias"* que se han atrevido a contar una parte de su historia:

• Yo soy la novia que le nutre su ego, lo admiro y lo quiero, lo lleno de mimos lo hago sentir especial, no es mucho trabajo, son una o dos horas al día y cuando se puede, es un poco más, por eso me da lo que le pido. Tengo el tanque de gasolina lleno, paga la renta, me invita la comida, se siente soñado porque al final me presume, todos en su trabajo lo saben y se callan, Todos juegan el mismo juego, todo es normal…

• Nos vimos y nos gustamos, los dos estamos casados y yo tengo problemas con mi pareja porque no me dedica tiempo, no le importa lo que haga mientras no lo moleste y siga mi vida.

• Él es un buen partido, me puede pagar todo lo que pido, es muy complaciente y me gusta sentirme atendida, me da lo que nadie me ha dado y me siento especial, se ha convertido en algo importante en mi vida y no lo quiero perder, sentirme protegida es lo más primordial, estamos planeando vivir juntos, esto sería lo ideal y con el tiempo lo vamos a lograr.

• Yo vivo como quiero, tengo uno que me paga el teléfono, otro la renta y los servicios, tengo cinco novios. Cuando termino con uno, o se va, lo reemplazo con otro, esto es fácil, es un intercambio de placer y ellos lo saben. ¿Si trabajo?, tengo mi *"part-time"* *"tiempo parcial"*

• En esta vida hay que ser abusada, todo cuesta, y si quieren, pues que les cueste y paguen. Parece mentira, pero es la realidad de muchas mujeres jóvenes, conquistan a quien pueda pagar sus necesidades, cuando ya se aburren o encuentran a alguien más, no pasa nada es lo más normal, van brincando de uno en uno, lo consideran un estilo de vida.

• Estando en una reunión, una chica me comentó:
- Estoy tratando de quedar embarazada y por más que trato no lo logro, ¿qué hago? Le digo:
- Pero otro niño, ¡ya tienes tres! Ella siguió, diciendo:
- Sí, pero no quiero que se me vaya el novio y quiero tener un hijo con él. La miré asombrada:

- Pero tus hijos ya están grandecitos, ya tienes más libertad y con otro niño es volver a empezar.
- Sí, pero a este lo quiero amarrar.
- ¿Por qué no amarraste a los papás de los otros niños?
- No lo pude hacer, porque estaban casados.

• Salgo con un bombero y me puso un horario para poder llamar, no me importa, le hablo a la hora que me diga, para mí es un negocio, me pone reglas, yo las sigo.

• Una señora me dijo: por estar con él una vez a la semana, me da mis doscientos dólares, y yo ya con eso cuento con ese dinerito extra para mis gastos.

Esto es más común de lo que se puede pensar, entrevisté a varias personas, y para ellas es lo más normal.

UN VACÍO QUE NUNCA SE LLENA

Cuando eres conquistador experto, consigues una conquista rápida. Una noche de sexo sin condición. El placer es rico, pero solo dura poco tiempo, al final te quedas solo con tu soledad, te vuelves adicto al placer ocasional y sin compromiso. Ya nada te parece novedoso, todo te da igual, no te mueve la fibra y se crea un vacío por dentro que nada lo puede llenar.

Anhelas sentirte querido y apreciado. ¡Querer no es amar!, todo mundo te puede querer porque es algo superficial.

¡El amor, cosa tan rara!... El amor llena, complementa: te hace ver todo novedoso, te hace vibrar. Despierta en ti la alegría dormida e inspiración. Así el conquistador, es como un remolino donde el centro está vacío y lo que le rodea arrasa con todo lo que está a su paso. Solo el amor leal e incondicional pueden llenar ese vacío existente que se lleva en el alma.

POR QUÉ SE ENOJA CUANDO
LO DEJAN

Despiertas a la cruda realidad,
cuando se termina el juego
que jugaste en dos canchas.

Ahora puedes ver tus acciones,
saber que perdiste un cariño sincero,
un hogar con calor,
donde te esperaban con alegría,
todo eso ya cambió, acabó,
no se te toleró más
tu condición de creer tener derecho
a un amor fuera de casa,
y perdiste el hogar donde te atiendan,
donde te amaban de verdad.
Se acabó tu comodidad.

TENER ARGUMENTOS

Para tomar decisiones tienes que estar bien informada, la duda exagerada, exaltación, preocupación y la angustia nace en ti, porque no sabes lo que te está pasando, o lo sabes, pero no lo asumes, y por lo tanto no estás en control.

¿Sientes que no tiene sentido lo que te está pasando? analízalo y ponle nombre. ¿Te estás condenando a una relación de maltrato? ¿o de abandono? ¿Infidelidad? ¡termina con esto! ¿Con qué recurso cuentas?, ¿no tienes dinero, ni te puedes salir de la relación ahora? Empieza por hacer un plan de vida para ti para el futuro.

Lo primero, ahorra dinero lo que más puedas, busca todas tus puertas de salida de esta relación: prepárate física, mental y emocionalmente para este paso tan importante que es el término de esta relación. Solo cuando lo exteriorizas, ves en tu interior y puedes actuar.

SOBREPROTEGIDA POR UN MACHISTA

Culturalmente la mujer fue educada para ser sobreprotegida por el hombre o pareja. Él brinda comodidad a la mujer, aunque esta sea independiente. Sabe cómo cubrir sus necesidades, emocionales, físicas, sociales, materiales, sexuales; hace todo para saberse importante y ser admirado por su pareja.

Esto es súper, y sería un complemento perfecto, si la mujer no tuviera que dejar de lado su mundo y perder su independencia. ¡No te falta nada, yo soy tu todo! - suelen decir. Esto puede ser un plan perfecto de manipulación. El verbo mata la independencia. El hogar y la pareja tienen que ser el centro de atención absorbiendo todo el tiempo de la mujer por completo y tiene que dejar a un lado todo lo que ella ha logrado.

Hace poco me hablaba mi amiga Chris, estaba muy desolada, se había dado cuenta que su esposo la había engañado, le pregunté ¿y cómo lo supiste? me dijo: todos lo sabían, él publicó unas fotos en Facebook. Ella estaba en una crisis terrible.

Me contó:

- ya lo confronté, y le pregunté: dime, ¿en qué falle? dejé todo por ti, yo era independiente, tenía mi negocio ¡y lo dejé por tus demandas de atención!, ¡Acoso y culpabilidad que me haces sentir! Siempre con tus comentarios extras:

-Nadie hace las cosas como tú, siempre sabes dónde está todo.

Él me insistió tanto en dejar mi negocio, hasta que me convenció. ¿En qué momento me dejé convencer, y me abandoné para satisfacerlo?

Y siguió diciéndome muy alterada:

- Ahora que me fue infiel, no tengo nada, ahora tengo que trabajar para poder salir de esta situación y no tengo experiencia en nada, las cuentas del banco y el dinero son de él, todo está a su nombre, ¿cómo es que permití todo a su favor y dejé pasar tantos años? ¡Es como si te despertaras de una pesadilla! !¡Qué difícil es darse cuenta de la realidad!

FIJACIONES PARA JUSTIFICARSE

El ser humano, generalmente justifica su conducta cuando quiere cubrir sus errores. Cuando a la persona, le gusta el juego que lo entretiene y le da placer, busca todo tipo de excusas para justificarse ante los demás y ante él mismo para seguir con su afán sin sentirse culpable.

Hace unos cuantos veranos, fuimos de vacaciones con mi familia y nos pusimos de acuerdo con unos entrañables amigos junto con sus respectivas parejas para que llegaran a visitarnos en la estancia donde estábamos alojados. La plática estaba muy amena y empezamos a hacer un recuento de cuánto años llevábamos en nuestras respectivas relaciones.

Uno de ellos, Tito, se llama, con unas copas de más dijo: "*Celia y yo llevamos veinte años de casados muy felices*". Todos asombrados, le dijimos: Guao, qué suave. A lo que él siguió diciendo: "*¡sí!, pero con varias novias incluidas, si no imagínense, ¡qué aguante!*"

Tito, continuó hablando sin tapujos, porque se sentía en confianza, diciendo que estaba orgulloso porque buscó esas distracciones para poder seguir y aguantar la relación. Claro, que todos sabíamos que estaba diciendo la verdad, la situación era tensa y optamos por tomarlo a broma.

Esto es un acondicionamiento aprendido, se convierte en una justificación que no ayuda a nada en la relación.

LA DECISIÓN QUE TOMES ES LA CLAVE

Todo lo que le dices lo invalida, te hace sentir que, la equivocada y fuera de lugar, eres tú la equivocada... esto te confunde tanto, que te ocasiona un estado de angustia, tristeza y depresión. No duermes, estás de malas, el malestar persiste, de todo te peleas, no te gustan las cosas que antes te hacían feliz, la relación es pobre, ya no hay ilusión, no hay alegría ni confianza, ya no hay metas que alcanzar como pareja, mucho menos comunicación, ni conexión emocional. Te sientes débil, marchita.

El alma y el corazón están sometidos a tus tristezas lo que genera otras dañinas emociones. Tanto abuso y la negación de lo que está pasando te atrapa más y más. En algún momento debes declarar: *¡se acabó!* Esto debe terminar, porque está mermando mi personalidad y mi alegría.

"Rompe las sogas, vete y usa tu vida como quieras"
"No te pongas enfrente de un foco, si el foco se funde te quedarás sin luz".

No te dejes impregnar por el odio, es un "veneno", ni arrasar con su fuerza, te puede perder. Recuerda, si el miedo te domina puedes actuar sin cordura.

La decisión que tomes es la clave y la tienes que tomar con mucha seguridad. No dejes que tanta angustia, desesperación y desilusión afecten tu decisión, sabes que tienes que actuar ya.

TE RESISTES A LA PÉRDIDA Y LO HACES QUE REGRESE

El olvido es lo que más duele cuando todavía estás enganchada a esa persona. Cuando sabes que lo has perdido -porque ya no lo puedes tener- y quieres la atención de nuevo, comienzas a pensar en lo que te cautivaba de su personalidad, enalteces todas esas cualidades, detalles, y lo conviertes en un ideal.

Piensas en él, en su amor para contigo, *"era tan especial"*, esto es muy peligroso, creas un apego más fuerte, que se convierte en obsesión. Te resistes a la pérdida y ahora lo quieres conquistar, cueste lo que cueste, te conviertes en lo que a él le gusta, bajas de peso, te pintas el pelo, sacas a tu coqueta del closet, y consigues tu objetivo y "vuelve", y también vuelve lo habitual.

El hombre infiel al fin vuelve a sus andadas y sabes que tienes que volver a actuar como lo has hecho antes para volverlo a conquistar, es un juego de nunca acabar.

Aquí te pierdes a ti misma por enfocarte en él, le das más seguridad -a él- sobre ti, y le creas un ego más fuerte del que ya tenía; creando un perfecto narcisista que se cree Dios en la tierra, así es como tú lo haces sentir. Por concentrarte en él, has dejado de ser tú y tu ser interno te pregunta: ¿quién soy? ¿Quieres que no te olvide?

Empieza por ti, a no olvidarte, recupera tus valores. Lo que un día fuiste y dejaste porque no se ajustaba al matrimonio o al carácter de él, hiciste a un lado lo que te gustaba porque no había tiempo y tuviste que dejar tus sueños. Todos eran prioridad menos tú. Si en lugar de complacerlo, te complaces a ti. ¿Qué encontrarás? ¿No te da curiosidad?

Si haces un ajuste de los daños por todas tus pérdidas -por concentrarte en él-, puedes revertir los papeles, apártate, enfócate en ti con el mismo énfasis que le dedicaste a él. Conéctate a ti misma para crecer y recibir lo que en verdad te corresponde. Te vas a convertir en lo que realmente eres.

Esa persona que ahora juega con tus sentimientos va a ver tu cambio, por satisfacer su ego va a hacer todo lo posible hasta recuperarte, va a querer rescatar lo perdido, esos detalles, esa personalidad loca que de todo te ríes, bailas, juegas, todos esos dones que él arrebató de ti... pero ya serás inalcanzable para él. Aprende a reír para ti, hacerte un guisado rico solo para ti, a ver lo bello que tienes.

Cuando él se dé cuenta de que ya no le dedicas el tiempo ni atención como antes, es cuando querrá voltear a verte, tú no le pondrás atención. Al fin te darás cuenta de cuán ciega estabas y disfrutarás de esa bendita libertad de ser tú misma.

No te quedes quieta, revélate, él deberá respetar tu decisión, tus cambios. Sabes que no va a quitar la mirada en ti, te tenía tan segura y te le fuiste como arena entre las manos, sabe que puedes cautivar a cualquier hombre que quieras, estás empoderada, sabe que eres especial, inteligente, seductora, original y tienes dotes para ser lo que quieras. ¡SUERTE!

MACHISMO

En tiempos ancestrales fuimos dirigidos por el poder matriarcal donde la mujer guiaba con paz y armonía. El hombre cumplía su papel de cazador y protector del hogar, la mujer atendía a la familia, sembraba y guiaba a la comunidad sabiamente, así fue por mucho tiempo, hasta que el poder religioso quiso el control para ellos y la única manera fue someter a la mujer, desprestigiar todo su conocimiento de sabiduría haciéndola pasar por débil y vulnerable por los sentimientos de amor maternal hacia el hombre.

"Decían que una mujer nunca va a entregar a su marido y menos a un hijo, que la mujer la vence el sentimiento"

[5] La mujer fue sometida por muchos intereses religiosos e institucionales, desde minimizar su inteligencia y humanidad, para convertirla en cosa, objeto, hasta quitarle todo su mérito. Para poder hacer esto le concedieron todo el poder al hombre sobre

la mujer, surgiendo el patriarcado y culto fálico, cambiando a su conveniencia las creencias religiosas y antiguas acerca del valor y cualidad de la mujer.

---

[5] El origen historico de la violencia contra las mujeres. Pilar Perez

La influencia social del machismo dentro de las mismas familias, fueron creando hombres misóginos, insensibles, irracionales que maltratan a la mujer y lo peor de todo es que muchas veces es la misma mujer que fomenta todo esto.

La infidelidad es un maltrato emocional, social, espiritual que afecta directamente a la mujer y sus hijos. Es una conducta enseñada por conveniencia para los que tienen el poder.

LA FAMILIA Y EL MACHISMO

El hombre ha sido condicionado a través de la cultura, medios sociales y la presión familiar, a responder a las exigencias para ser un macho. En el hogar, al hombre y a la mujer se les enseñan comportamientos completamente diferentes, cada uno con su rol, en el que el hombre tiene que ser libre y hacer lo que quiera y la mujer sumisa, recatada, condicionada a pedir permiso.

A la mujer sele educa para que sea sumisa, es manipulada para que su máxima meta en la vida sea casarse, sin saber que, con esto, se convertirá en un ser dependiente de la pareja.

En el hogar materno, casi siempre la madre no quiere perder el poder y control sobre el hijo, haciendo todo tipo de artimañas para que el hijo no se entregue de lleno a su relación.

La mayoría de las parejas tienen problemas porque la familia no deja que el hombre sea noble y atento con su pareja, la
madre se siente traicionada y pone presión para que el hombre no tenga buena conexión matrimonial.

La suegra usa al hijo como el ejecutor de sometimiento para doblegar el carácter de la mujer, y también para que la nuera no tenga lo que ella nunca tuvo. La madre ejecuta su poder a través de él.

Le han hecho creer al hombre que es superior a la mujer y la puede pone debajo de su pie, no quiere caminar a la par de ella, solo delante de ella, no sabe que su pareja lo hace fuerte, que ella le da balance emocional que necesita para subsistir en esta vida tan compleja, llena de confusión y contradicciones. La contaminación familiar lo ha convertido en un títere donde pierde el alma.

En la sociedad en que vivimos es muy usual el maltrato hacia la mujer, por un hombre influenciado por la madre o hermanas.

Muchas veces me tocó ver cómo las suegras sometieron a sus nueras a través de sus hijos. Les decían cómo las deberían de tratar y ellas imponían los límites o reglas en la relación.

EL HOMBRE

El hombre es educado para ser protector, proveedor y cazador.

Biológicamente tanto el hombre como la mujer son formados mediante la fecundación de un óvulo por un espermatozoide. El óvulo de la mujer con su hormona de progesterona, y el hombre con su hormona de testosterona hace que sea posible la formación del embrión, la unión de la mujer y del hombre; combinación perfecta.

La madre tiene en su útero al niño por nueve meses y es una unión de madre e hijo en todos los aspectos químicos, biológicos y emocionales. El bebé siente las emociones de su madre, que es emocional, sensible y protectora, también siente la presencia masculina, la fortaleza, el cobijo y amor del padre, experimentar las sensaciones y emociones de sus progenitores es parte integral de él, de su ser nato que lo nutre y lo integra como ser vivo.

Desde su nacimiento, al niño se le ha marcado y creado una "negación" a lo que es su naturaleza nata, de un ser emocional. A la mayoría de los hombres, se le educa para ser proveedor, cuidador, se le ha impuesto una superioridad sobre la mujer que lo ha dañado severamente porque es negación hacia sí mismo.

La nobleza, sensibilidad a conectarse con sus sentimientos y expresar lo que siente; se le ha creado diferente a la mujer, he impuesto una comparación irracional.

La mujer es muy capaz y se le ha creado una imagen débil debajo del hombre fuerte y rudo. Ella llora, el hombre no puede llorar, si lo hace, es un marica. La mujer tiene que hacer los quehaceres del hogar y el niño no hace nada, porque la mujer está para servirle. Para el hombre, esto es una contradicción emocional que lo lleva a una crisis existencial porque nunca encuentra donde aterrizar sus emociones y el amor incondicional que siente en sus adentros no lo puede expresar.

Ama de una manera muy intensa y a la vez la mujer que ama es inferior a él, creando un vacío emocional que siempre trata de llenar con una mujer ideal que nunca llega, porque ninguna es suficiente para la imagen ficticia que le ha creado la sociedad, los medios sociales y hasta la misma familia. Esto es muy peligroso, porque he visto muchos casos que terminan en vicios como el alcohol, las drogas, adicciones sexuales, agresión irracional etc. Lo más terrible es el suicidio.

LA MUJER

La naturaleza de la mujer es de libertad, tiene el don nato de la sabiduría y conocimiento en su ADN; esta herencia genética se transmite a las mujeres a través del linaje femenino, es por eso por lo que la mujer todo lo sabe, intuye, huele, siente, percibe, presiente, lo adivina y es verdad, cuando la mamá te dice algo, pon atención y espera resultados.

La mujer tiene una conexión profunda con la tierra, tiene las capacidades biológicas para crear vida. Tiene el poder extrasensorial que percibe la energía y puede leer el entorno que la rodea, la alerta si está en peligro, tiene una visión amplia de cada situación que está viviendo y tiene la capacidad de resolución y contemplación.

Si la mujer sospecha algo, es porque sí está pasando. Así que aprende a ver tus señales, corazonadas, percepciones y acertarás, pues la mujer cuando ama, entrega el alma y sabe amar a un hombre de verdad, por eso lo conoce muy bien.

Tanto la mujer como el hombre son perfectos y son el centro de la creación en la tierra, no habría humanidad sin esta unión perfecta.

LA MUJER, SÍMBOLO SEXUAL

Los medios de comunicación, cine, medios sociales han trabajado en hacer de la sexualidad el mayor placer para el hombre, éste tiene que ser un experto en el tema del amor, saber explotarlo con todo y con todas.

La mayoría de los medios de comunicación exponen a la mujer como un símbolo de seducción, estatus y a la vez de sumisión. ¡Qué contradicción! El sistema social ha usado al hombre para someter a la mujer en complacencias irracionales. Todo se ha corrompido y la mujer se le ha sometido al mismo juego social por dinero o conveniencia social.

El rol de la mujer y el hombre de ser un complemento uno del otro, nutrirse y balancearse se ha desequilibrado. El hombre ha sido bombardeado con imágenes seductoras, en las que ser fiel a una mujer lo convierte en un aburrido. Esto lo desenfoca de la armonía con la familia, del crecimiento de una economía estable, de la educación de sus hijos, de un retiro digno y un legado próspero.

El hombre no sabe, no se ha dado cuenta de cuánto necesita de su compañera, de su calor y compañía, de sus pláticas interminables, de su sabiduría, de su guía, de su amparo emocional, por tanta presión exterior no sabe cuán dichoso es y el tesoro que tiene al lado de una mujer que lo ama sin condición.

Se pierde la identidad, sus sentimientos de contradicción le crean un vacío en el alma, que ocasiona un desbalance emocional acudiendo al alcohol, cigarro y en los peores vicios para calmar sus sentidos, causándose a sí mismo enfermedades que pueden acabar con su vida de manera temprana.

¿LA INFIDELIDAD ES UN VICIO?

La infidelidad es el vicio caro y terrible que destruye todo a su alrededor, la cual está basada en creencias que no se fundamentan en la realidad, pero ¿qué es la realidad? ¿será lo que yo pienso, veo y escucho?

Es pura confusión, una realidad creada por la sociedad de mentira, la familia la refuerza y la mujer es la que la sufre. Esto es muy difícil de romper, es un vicio de poder, placer y emoción, estas personas solo conquistan, se enamoran del enamoramiento y cuando eso se acaba se inclinan por alguien más, tienen miedo del verdadero amor, ven lo superficial, pueden tener conversaciones profundas y hablar de la verdad, pero no su verdad, sabe hablarle a la mujer de sinceridad, una sinceridad que no conoce solo imita. Cada día se siente más vacío, no se siente verdadero, ni en plenitud, pero al final, todo cansa, hasta el vicio más placentero.

Aunque quiera, no puede parar, porque el placer es una de las drogas más difíciles de dejar, es una adicción apoyada por los medios sociales y de comunicación donde transmiten en horario infantil películas o series, que normalizan conductas inapropiadas o modifican la forma correcta de ver la respuesta sexual humana, y claro, la infidelidad y el sexo mueven la industria del dinero, compra el deleite de complacer; sin el dinero no hay placer.

Para dejar este vicio, debes tener una gran pérdida y/o haberte enamorado profundamente y tener un nivel de consciencia diferente, esto será un verdadero reto. Aunque esté enamorado, no va a dejar pasar ninguna oportunidad placentera, total, es una canita al aire, nadie lo va a notar, pero él sí, en cada aventurita va a reforzar su conducta, porque su cerebro acostumbrado al placer lo ve normal, crea una relación de codependencia en la mujer de conquista, le brinda comodidades para ser indispensable para ella, es una manera de atrapar a la mujer que tiene que ser para él, ella vive en el encantamiento, eso no es amor, es una obsesión y se vuelve esclavo de la pasión, en donde siente que le dan vida, pero en realidad le matan, es vivir en la fantasía, cada mujer es una creación idealizada por él.

Cuando ya le cansa, se retira sin voltear, no importan sentimientos rotos ni culpas, solo se va, para él no existe mujer perfecta y si existiera la arruinaría. Estas personas se enganchan en la emoción y se convierte en un vicio, todo vicio cuesta caro, se pierden fortunas en ellas, como los adictos al juego. Su misión en la vida, si es que la sabía, no la quiso trabajar, le dio gusto al gusto y a la fantasía emocional.

141

POR QUÉ EL INFIEL
¿NO SE VA?

No se va porque el hogar es su base de realidad, para no sentirse perdido, llega a una casa donde hay calor de hogar, donde entra a un mundo limpio, donde no hay mentira ni traición. La traición de él le pesa, pero lo compensa diciendo "la tengo bien", no me puede reprochar nada, le cumplo a la familia.

A todos puede engañar, pero él sabe su verdad. No se va de la familia por la comodidad.

SE ASERTIVA CON TU LENGUAJE
CORPORAL

Cuando tienes problemas con tu pareja, la gente que te rodea y te conoce lo puede ver al instante, por tu lenguaje corporal, ya que tu postura cambia, tu sonrisa desaparece, la ansiedad se nota en la mirada y en la inquietud de las manos, tu manera de hablar se altera. Es una señal de falta de seguridad y poder de ti misma.

El hombre te conoce y sabe que tienes miedo, el miedo que sientes lo puede ver en tus ojos y en el tono de voz. El miedo es una de las energías negativas que bloquea y que no te deja ver más allá. El cerebro reacciona porque sabe que hay peligro y todo tu sistema se altera, estás en un estado de alerta constante, se acciona una reacción para pelear o escapar. Si te domina el miedo, estás en sus manos.

La mujer se deja llevar por la emoción al 100% y esto puede ser una desventaja o ventaja, depende en las manos de quién te entregues. Si es un abusador, narcisista, infiel y le enseñas tu emoción, va a saber muy bien cómo manipularte, dominarte para que le entregues tu voluntad. Pero si es una persona que te ama sinceramente y te valora, va a saber apoyarte en todo momento y estar ahí para ti, sería un complemento.

Pensando en esto, analiza cómo desde niña te enseñan a sufrir por amor y lo refuerzan en los medios de comunicación social, películas, canciones etc. El sufrimiento por amor es una industria que da ganancias al 100% (el desamor deja dinero a manos llenas a los empresarios, el amor es un negocio redondo).

Saliendo de la secundaria vi a una adolescente que iba atrás del exnovio llorando a mares, él la vio y la ignoró, continúo caminando, ella se percató de la actitud de él, pero no le importó y continuó su acecho, yo iba en la misma acera, muy cerca de ella y no daba crédito a la escena, se me hacía muy humillante, me acerqué y le sugerí que me siguiera, pero ella no aceptó, y siguió detrás de él llorando desconsolada, mostrando su sufrimiento.

¿Dónde se aprende esto? ¿en la casa? ¿con tus padres? yo me he preguntado mucho por qué nos educaron de esta forma para humillarnos así. El amor no se regatea, se da o no se da, ¡y punto!

¿Por qué tienes que exponer de tal manera tu vulnerabilidad y dar a conocer lo más íntimo de tu ser? Si estás en una situación vulnerable es mejor cubrir todo tu sentir estratégicamente para no salir más dañada de lo que ya estás. Recuerdo que cuando había un problema en mis relaciones de noviazgo y ellos trataban de crear un drama, yo les decía, "¿tajante? ¿qué es lo que quieres? ¿terminar?" Me decían, sí o no, y yo se las hacía fácil, "bueno, querías terminar terminado está y punto".

A veces recordar quién eres, te trae más asertividad que andar haciendo caso a opiniones ajenas o siguiendo patrones que son de personas que respetas, pero al final son ellos, no tú.

Tienes que oír tu voz interior. Muchas veces, yo ya tenía la decisión de terminar la relación y cuando pedí opinión todos me decían: *"¿estás segura de lo que vas a hacer? ¡vas a perder! acuérdate que de alguna*

144

manera tienes a un buen marido y proveedor que ama a tus hijos". Cuando oyes eso te quedas paralizada y dejas tus dudas atrás y dices: *"sí, tiene razón, no veo bien mi realidad"*. Y entras en tu zona de confort, te aferras más a que la duda que tanto da vueltas en tu cabeza, no se asome más.

Cuando tengas problemas con tu pareja, no dejes que te sobrepase la emoción. Esto te va a llevar a que tengas éxito en cualquier situación, porque cuando tienes esta actitud, el cerebro responde a no caer, y te va a dar más ventaja de que el otro no sepa que estás es sus manos, que sepa que estás firme y puedes negociar, poner las reglas y límites que tú creas convenientes.

EL QUE SE ENOJA PIERDE

No te alteres, mantén la calma, porque cuando pierdes el control siempre quieres ganar discutiendo, imponiendo, culpando, doblegando y aunque ganes por razones bien fundamentadas, al final pierdes el vínculo de la comunicación en la relación personal, de amistad o laboral que te interesan conservar.

Es una línea muy frágil y tienes que saberla conservar intacta. Recuerda, mantén la firmeza, dignidad y la cordialidad, mantén el equilibrio en todo momento.

A veces, tienes que ser muy astuta, firme en tus argumentos. No le des el arma de decir, *"¡contigo no puedo hablar! ¡porque de todo te alteras!"* y te confronta frente a los demás para que pierdas el control y decirles: *"ya ven, por eso se terminó la relación"*, te anula y te pone frente a todos como una loca histérica con la que no se puede hablar. No le des esa arma contra ti, anula tú primero con la razón en todo momento, eso te dará calma.

LA DIGNIDAD DE LA MUJER DENTRO DE UN HOGAR FRACTURADO

Muchas personas han vivido un infierno con una relación que se ha fracturado al punto que no se ha podido recuperar la confianza en la persona. Se ha roto algo, que no se puede reparar, es una realidad muy cruel.

No te puedes salir de la casa pensando solo en ti. Cualquier persona sensata va a pensar: ¿qué va a ser de sus hijos? y sabe que necesita tener un lugar digno para vivir con ellos. Se quedan en el matrimonio, pero sin tener ningún vínculo íntimo con sus parejas.

Algunas breves historias:

• Durante un encuentro casual, en un supermercado, Celia me comentó: no puedo hacer nada, pero sí puedo tener mi dignidad bien puesta.

• En otra ocasión, Teresa me dijo: Él me pidió para que volvamos y olvidemos el pasado. Le respondí: *"sí, pues como el pasado es tuyo, porque si fuera el mío no dirías lo mismo ¿verdad?"*

Para muchas mujeres, la mejor manera de recuperar su dignidad es rompiendo con la intimidad durmiendo separados.

● Tere, me dijo determinada: no tengo que soportar más, mi paz es lo más valioso que tengo y no vuelvo a tener intimidad.

FALLAN

Fallan porque quieren. ¿Por qué la persona que más nos importa nos traiciona? Le preguntaba a una amiga, *"¿por qué me falló?, no lo entiendo"*. Y ella me responde: *"a mí también me fallaron"*.

Fallan porque así lo decidieron, nadie los obliga, se sienten seguros de sí mismos, de lo que en algún momento dieron para la relación, hasta que un día sus promesas pierden lo dulce, la fuerza y la emoción.

Su falta de compromiso fracturó la relación, ya no tenía sentido para él seguir con el teatro. Ellos juegan a ser superhéroes teniendo una doble moral con una vida de placeres escondidos que se convierte en adrenalina pura, que tú ya no puedes calmar.

Porque está en un mundo de juego y placer, mentira y traición donde uno queda fuera del juego emocional. Él tiene una vida que no puedes ni imaginar, ¡vive a escondidas huyendo de ti!, mientras tú luchas por recuperar tu relación y mantener unido el hogar, ¡qué ironía!

Eres una ficha más en su tablero de ajedrez y solo haces el juego más emocionante. Ha aprendido a cuidarse de ti, se hace cómplice de todos menos de ti, tú eres el obstáculo que tiene que vencer con la mejor estrategia para pasar victorioso. Su deseo es inalcanzable, porque tú estás en medio del camino para lograr sus fantasías.

LA MUJER PERDONA MUY RÁPIDO

¡Siempre lo perdonas para que no se vaya! quieres un bien y te estás haciendo un mal. Reforzar el comportamiento del infiel donde sabe que después de un buen manjar se va a regresar a la comodidad del hogar.

Saber y sentir que es indispensable, bien recibido, porque al fin recapacitó y merece lo mejor, ser bien atendido, para que no se vuelva a ir, con la mujer mala, la zorra.

Ha regresado y lo recibiste con los brazos abiertos, no hubo un arrepentimiento ni compromiso para contigo y no lo tiene que hacer porque eso es lo que ha hecho por siempre y él ya está acostumbrado.

Pero esto no es culpa del hombre, es culpa de la mujer. La mujer por no perderlo lo echa a perder, pues el perdón sin ninguna consecuencia, solo lo convierte en un hombre más cínico, ¡pues claro!, si su comportamiento es premiado y aún más reforzado, es como un niño caprichoso que le concedes todos sus deseos, hace todo tipo de berrinches para manipularte hasta que logra que pierdas el control y se convierte en "un insolente".

Nunca va a haber un cambio si perdonas, o perdonas demasiado rápido, no le das tiempo a que recapacite, no te siente perdida y no te valora.

Lo que quieres retener, un día lo vas a perder porque le has permitido a ese hombre a ser tramposo, mentiroso e infiel.

Te has dado cuenta del engaño y aun así lo recibes, *"ni siquiera perdón te pide"* (me dijo mi amiga), refuerzas su comportamiento y eres parte de eso que tú no quieres vivir. Si, en embargo, el perdón no garantiza ningún cambio en su conducta cuando no hay consecuencias, por eso el individuo no se corrige.

Con esto él te está mostrando que no tiene compromiso ni le da valor a la pareja, ¿por qué ha de cambiar? Él solamente va a cambiar hasta que tú toques fondo, cuando ya no quieras vivir en ese infierno y seguir sufriendo, mientras él vive en la gloria del placer.

TOCAR FONDO

Soltar te va a enseñar la manera de descubrir un nuevo camino, pero para lograrlo es importante que estés dispuesta al cambio. Perdonarte es el primer paso, porque fuiste cómplice y permitiste el abuso.

Yo pensaba que era la otra persona quien tenía que cambiar, porque estaba en un error, ¡él tenía que reconocer nuestro amor! y en nombre de ese amor, recapacitar. Mientras pensaba en esto, escuché la voz de mi hermana, que una vez me dijo: *"¿y por qué no cambias tú?..."*

"¿Yo? ¿En qué puedo cambiar? ¡Si soy perfecta!". Pasó buen tiempo y sus palabras me resonaban en la mente como eco. Me di cuenta de que la que tenía que tocar fondo era yo ¡Fue un shock de realidad que me sacudió hasta lo más profundo del alma!

"Toque fondo" me sentía emocionalmente atrapada en el fango, y que había estado ahí por mucho tiempo, sabía que debía de poner todo de mi parte para salir sola, nadie podía entrar por mí, porque no sabían a donde estaba, solo yo, tenía que nadar para salir y no voltear ni parar porque si no me hundía y me quedaba estancada en el dolor, la amargura y la decepción, no podía hundirme más. No me podía permitir ser sombría, amargada, envidiosa y frustrada, me costó trabajo vencer mi ego, para tener la humildad de aceptar que tenía que tocar fondo, pero esto me quitó una venda de los ojos para ver una realidad que nunca hubiera pensado tener. Saber perder y soltar, dejar ir, decidir sanar y encontrar un horizonte nuevo para mí.

Apliqué mis propias terapias, si habían funcionado para otras personas, tenían que funcionar para mí, ya había dado el primer paso y era el reconocimiento de mi error, amar a alguien que ya no me pertenece.

VIVIENDO EN EL PASADO, EVITÓ EL DOLOR

El presente era muy doloroso y lo evitaba lo más que podía, cuando estaba dormida descansaba y escapaba, era mejor vivir en el pasado, porque todavía no había dolor ni pérdida.

Viviendo del pasado ves pasar la vida, vives con recuerdos fantasmas que anhelaba que regresaran y fueran nuevamente mi realidad, por más que intentaba revivir el pasado, el recuerdo era recuerdo y me gritaba que ya no era mi realidad.

La vida sigue, no para, cuando me di cuenta de que estaba estancada en el pasado, paré en seco y corrí a mi presente, me vi sola con retratos llenos de recuerdos en mis manos que pesaban mucho, la emoción pesa en el alma y no la puedes cargar más, el peso de los recuerdos me echaba hacia atrás. Para salir de ese estado emocional tuve que soltar poco a poco, iba soltando cada recuerdo uno a uno, esos recuerdos que algún día fueron pasión, alegría en mi vida y que tenía que dejar en el pasado.

Tenía que cerrar ciclos y lo tenía que hacer bien, no quería un mundo interno tormentoso así que a cada recuerdo lo abracé, le di su lugar especial y lo dejé resguardado para que no se me volviera a pegar más. Cuando faltaban pocos pasos para terminar de soltar el pasado y llegar a mi meta me sentí ligera, sentía que quería volar, ya no traía nada que pesara, cuando crucé el umbral de la meta me sentí otra, que caminaba en un camino distinto, todo parecía nuevo, veía las cosas bellas de la vida que antes no miraba, eran cosas cotidianas, pero ahora las miraba llena de esperanza. Mi nuevo camino comenzó a ser ligero, en este trayecto, ya no quería cargar nada ni a nadie.

ADICCIÓN A LOS PENSAMIENTOS NEGATIVOS Y EMOCIONES

No podía salir de tanta angustia, hasta que hice la paz conmigo y con el que había sido mi pareja. Pensé que con eso era suficiente, pero esto era solo una parte del todo. Toda esa carga emocional tan tremenda, solo la puedo comparar con un gran terremoto de 10.0 grados en la escala de Richter, que destroza todo a su paso.

Con esta indulgencia del perdón, pude traer un poco de paz a mi corazón, pero los remezones de ese temblor todavía seguían muy presentes y vigentes. El simple hecho de oír el timbre del teléfono me alteraba y el corazón me empezaba a latir a todo lo que daba, la mente me empezaba a trabajar a mil por hora, y más a la hora del almuerzo, me daba taquicardia, porque a esa hora él solía llamarme y me preguntaba *¿dónde estás?* y le decía: *"estoy en la casa",* luego él me pedía hablar con alguien de la familia o me preguntaba por alguien, así lo hacía para cerciorarse de que estuviera en la casa, no quería que yo me diera cuenta de lo que hacía a la hora de la comida.

La ansiedad y taquicardia me atormentaban, aunque no me llamara, la ansiedad se disparaba a la hora que él que salía del trabajo, los olores de perfumes me irritaban y me ponían de malas, ¡porque siempre llegaba oliendo a perfume de mujer!, el decía que eran los cinturones de seguridad que estaban impregnados de perfume de los carros que manejaba por su trabajo. Para mí era un tormento esta como otras situaciones que activaban mis emociones.

Sabía que esto tenía que parar o al menos controlarlo. Fue una experiencia muy traumática. Ya tenía un reloj biológico de alteración emocional que me abrazaba y por más que quería evitarlo, se disparaba.

Me di cuenta de que me había hecho adicta a la química de las emociones y pensamientos negativos, y que mi cuerpo a cierta hora ya estaba listo para sentir y activarse, al principio yo los generaba con la ansiedad y la angustia que me causaba lo que estaba viviendo, cuando ya me vi muy afectada por la situación, lo quería evitar, pero se activaba en automático.

Entre más resistencia ponía, más me venían las oleadas de emociones, y aunque los quería atajar, me llegaban por todos lados, activando mi emoción; fue una lucha que tomó su tiempo. Cuando pude controlar la emoción de la relación, el cerebro ya era adicto a la angustia y adrenalina de pensamientos y emociones negativas, el cerebro ahora creaba situaciones incómodas que no habían pasado, pero que me imaginaba como si fueran ciertas y activaban una respuesta de emoción que quería evitar.

Las terapias que tomé fueron de mucha ayuda. Pero hice una técnica inventada por mí. Dibujé una línea imaginaria, de un lado estaba el pasado y del otro el presente y cruce del pasado al presente, tenía prohibido ir a las emociones del pasado o memorias que me lastimaban. Ya había tenido suficiente.

QUÍTALE TU ATENCIÓN

Si alguien te hirió, quítale lo más importante que tienes, que es tu atención, en todo lo que te enfocas crece, te envuelve y te haces parte de lo mismo, sea positivo o negativo.

No fue fácil llegar a esta decisión, tenía tantas emociones que me asfixiaba, me causaba ataques de ansiedad, es como si te tragara la emoción y explotara por dentro, ya no podía más, decía, ¡basta ya! Esto tiene que parar y la única manera que encontré de pararlo, era soltando, dejando ir, porque llegas al punto que pierdes y al final es una lucha de poder contigo misma.

Solo pensaba en la traición, la tiranía de su actitud para conmigo, venía solo para ver que podía sacar de aquí, ¡parecía ave de rapiña! Solo mirando, ¡y en el momento preciso arrebatar! yo lo veía y le tenía mucha desconfianza, lo peor de todo es que tenía doble cara, y me confundía

En determinado momento, llegué a pensar que la loca era yo.

Hubo terribles peleas emocionales que me tiraron al suelo, y tuve que soltar la emoción y ser más inteligente y saber pelear con un manipulador.

Al principio no podía aceptar que esa persona, que estaba enfrente de mí, hubiera sido la misma con la que me casé un día muy enamorada, sentía un dolor insoportable en el alma, mi corazón me dolía, la pérdida de un amor que fue tan hermoso y ahora esa misma persona era la que más daño me hacía, eso me alteraba mucho, me dio con todo, tenía mucha furia, resentimiento, coraje, tensión, tristeza, angustia y dolor.

Sentía que en cualquier instante iba a perder la razón, que caía en la locura y perdía el control, era una bomba que iba a explotar en cualquier momento y solo había una pequeña línea tan frágil entre la locura y la estabilidad mental. Tanto pensar, tanto darle vueltas a la misma idea y voltearla por horas y horas, pensar hasta quedar agotada.

Hasta hubo momentos en que me veía salir corriendo, gritando, jalándome el cabello, me dio miedo y me vino a la mente, una amiga que terminó en un hospital psiquiátrico le dio una crisis nerviosa tan fuerte, que se quedó bloqueada, como ida, no contestaba y así estuvo por mucho tiempo.

Yo no podía exponerme y perderme, ¡debía tener control porque estaba mucho en juego! Yo solo estaba viendo el dolor de la pérdida, y no la parte legal, tenía que poner los pies en la tierra, por mí y por mis hijos, porque si yo no luchaba, ¿quién lo iba a hacer?

La actitud de mis hijos me dolía hasta el alma, pero no podía hablarles mal de su papá, aunque tenía mucha furia, no quería ponerlos a ellos en medio de una lucha sin cuartel, además él los estaba usando y manipulando y ellos un día se tenían que dar cuenta por ellos mismos, porque siempre sale la verdad a la luz y yo debía ser más sabia para protegerlos, así que era amable con ellos y con todos, ya tenía una decisión y un plan, y fuera la actitud que fuera de ellos, yo solo tenía que seguir mi plan, ya no le ponía emoción a nada que me pudiera confundir, le quité mi atención a la situación, solo actúe para tener los resultados que quería.

Él, hiciera lo que hiciera, o les dijera a mis hijos lo que les dijera, siempre pensé: actúa bien, para que no tuvieran excusas para culparme. Un día de tantos estaba en el carro esperando y quería escuchar música, no traía mis lentes y apreté sin ver a la siguiente canción y me salió un mensaje: [6]*"Déjate guiar, no estás sola, a quien tanto te molesta, quítale tu atención"*. Sentí mucha paz, después de eso, siempre me llegaban mensajes al azar, que me calmaban y ya no me sentía sola, un poder maravilloso estaba conmigo, lo podía sentir.

---

[6] Youtube

ME DETENÍAS CUANDO ME VEÍAS MARCHAR

No me amabas más,
se te olvidó mi amor,
el valor que daba a tu vida
y lo fuerte que éramos juntos.

Me tenías tan segura
que no te diste cuenta
cómo me fui desvaneciendo de tu vida.

Cuando me perdiste
quisiste engancharme con nuestros
recuerdos y eso te funcionaba,
pero el recuerdo cada día
perdía más significado y valor.

Llegó el día
en el que hasta los recuerdos
más especiales contigo,
me dejaron de importar
y ya no te funcionó más.

Cuando me ves lista y decidida
a marcharme con muchos planes,
entonces te asusta que te deje,

cambias de parecer
y ahora sí te convengo,
quieres entrar otra vez a mi vida
y en mi mundo,
tratando de detenerme
para que no me vaya.

Ya me detuve muchas veces,
y al final es lo mismo.
Ya jugué muchas veces tu juego
y empieza tu cambio de actitud

a hacerme creer que eres
el premio especial,
el espléndido, el atento, cariñoso,
¡el protector!

Eres un personaje fuera de serie,
ahora sí lo puedo ver,
"El que con todas puede",
pero al final fuiste un lobo
que se dejó cazar,
¡antes estaba dentro de tu realidad!

Vivía entre la realidad,
la mentira y mi alucinación,
ya no me podía encontrar,
viví entre los recuerdos, desengaños

y mentiras y un poco de realidad.

Cada acto tuyo se fue desvaneciendo
poco a poco mi ilusión,
mis recuerdos gratos
ya no pesaban tanto,
pesaba más las ganas de salir de ti
y crear una nueva realidad.

ME PERDONÉ Y RESTAURÉ MI ALEGRÍA

Ya había soltado y me perdoné a mí misma, pero no encontraba mi alegría, era como si tanta experiencia negativa la hubiera borrado en mí, ¡quería reír y no sabía cómo!

Tenía que acordarme de una experiencia agradable, me acordé de mi adolescencia en la secundaria, época en la que fui muy feliz. Todavía no conocía el amor, la alegría era mía (no dependía de nadie) limpia y pura. Las cosas simples y sencillas me producían felicidad, jugar *basquetbol,* caminar bajo la lluvia, ir bailando en las calles con mis amigas. Mi alegría la voy a utilizar para reconocerme y restaurarme.

A la gente que me consultaba les preguntaba como hipnoterapista *"¿si tuvieras una nueva oportunidad de cambiar tu vida, sin poner ningún límite, como la reinventarías?" Tienes la libertad de crear un mundo nuevo, te tienes a ti y qué te vas a dar, ¿qué esperas de ti?*

Dios siempre te da la oportunidad de un nuevo comienzo. Cuando recordé todo esto, me vi diferente, me emocioné, sentí mi ser latir por primera vez en mucho tiempo.

Vino a mi mente esa joven llena de vida con tantas ilusiones que caminaba en la Universidad con ganas de comerse el mundo.

Me dio mucha esperanza e ilusión empezar un mundo nuevo. No puedo regresar el tiempo, pero sí puedo crear maravillas con lo que tengo a la mano y soy yo. Sí, al soltar podrás perdonarte y recuperarte, perdonar, y permitir que todo lo que eres regrese a ti.

NO RECONOCEMOS EL AMOR

Cuando tenemos el amor, no sabemos apreciarlo, no sabemos recibirlo, ni darlo a la persona correcta, no disfrutamos una relación ni sentimos gratitud por lo que tenemos. No hay saciedad por el vacío que se lleva en el espíritu, y al no llenar ese vacío, se refleja en tristeza profunda del alma; que hace que no se aprecie una relación cuando se tiene.

¿Qué es lo que confunde a las personas? que andan buscando y buscando el amor y cuando lo encuentran, juegan con él, rompen corazones y se van a otra relación.

Afortunado es aquel que, sin buscar, encuentra un amor verdadero, es como sacarse la lotería, pero aun así las personas que se sacan el premio lo pierden, porque no saben reconocerlo y apreciar por eso pierden al gran amor de sus vidas.

Los medios de comunicación crean mucha confusión, por un lado, venden el amor puro y sincero y por otro lado también venden la sexualidad, que despiertan un deseo sexual sin control, que inclina a los hombres a ser cazadores y no dejar ir ninguna oportunidad.

Hay muchas tentaciones que confunden y no permiten distinguir el deseo de los sentimientos verdaderos de amor, y para no cometer errores, tanto hombres como mujeres necesitamos que analizar muy bien y estar alertas ante las situaciones de la vida.

NADIE ME VA A SOLUCIONAR LA VIDA

No espero que alguien venga a solucionarme la vida, debo y quiero resolverlo yo, no hay nadie más poderoso que uno mismo. Cuando confías en ti, cuando estás firme en tus convicciones, tus creencias, valores y principios, esto te sostiene para tomar la determinación de terminar con un mal matrimonio.

Leí bastante acerca de este tema, quería informarme bien al respecto y estar cien por ciento segura de cómo tenía que hacer los trámites, no quería hacer mal las cosas y tener la excusa de que no sabía, no quería tener la ceguera de la ignorancia por lo que, ¡debía de hacer bien mi tarea! Porque, así como recibí información correcta que empatizó conmigo, también hubo información distorsionada y opiniones que para nada podría haber aceptado.

No quería tener la ceguera de la ignorancia, ¡así que tenía que hacer bien mi tarea! Porque, así como recibí información que empatizó conmigo, también hubo opiniones que para nada podría haber aceptado. Esta fue una de las razones que me motivó a tomar terapia profesional, consulté con muchos terapistas.

La información se repetía, lo cual me confirmaba que estaba en lo cierto, mi vida había cambiado, necesitaba aceptarlo y seguir adelante, levantarme y solucionar mi vida porque nadie lo iba a hacer por mi. Esto lo hice a nivel personal de mi sanación y a nivel legal para el proceso de divorcio, en el proceso hablé con gente que me guio muy sabiamente en el momento que más lo necesité.

OPINIONES DE LA GENTE

Me dijeron: *"¡no te divorcies! todos los hombres engañan, por lo menos a este ya lo conoces y te da lo que necesitas. Déjalo que viva en la misma casa y que tenga un cuarto y tú otro, como si nada hubiese pasado".*

¡Yo no pude! Él me pidió el divorcio y yo lo acepté, pero después de un tiempo él comenzó a cambiar de opinión. Si yo hubiera querido, yo hubiera regresado a la relación, pero no lo acepté, no era la vida que yo quería, me sentía abrumada y humillada, y no porque viniera arrepentido lo iba a perdonar, tenía miedo, pero quería salir de esta situación que había durado ya mucho tiempo.

La decepción y el desengaño ya eran más fuertes que el amor que un día pude haber sentido por él y no por miedo me iba a detener y acorralarme, ya había estado presa mucho tiempo. Me decían: *"¡no sabes a lo que te vas a enfrentar! un divorcio es muy difícil",* ¡y lo sabía!, pero no quería estar presa de mis miedos, quería ver más allá del miedo, siempre estuve a la sombra de alguien, primero de mi familia, mi papá era muy estricto y luego me casé y estuve en una relación donde siempre fui ama de casa, haciendo todo para todos, y ahora quería hacer algo para mí y por mí.

Me dijeron, *"no te divorcies y ten a otro a escondidas"*. ¿Qué?... ¡No!, ¡eso no!, no me imagino tener a una persona a escondidas. Para hacer eso, la persona tiene que ser casada y yo no estaba dispuesta a jugar un juego tan sucio, como el que a mí me jugaron y aparte verme a escondidas, se me hace lo mismo que estar presa. Vivir en la mentira, no, no estoy buscando a nadie, pero si lo estuviera buscando no sería así.

Entiendo que la apariencia y la comodidad, es algo muy importante para la mujer, el miedo a ser señalada y sentirse a salvo, y esto es muy entendible y lo respeto, pero para mí, entrar otra vez ahí, era volver a la locura, al desquicio, a no ser yo, por estar en la sombra de alguien.

Yo amo la libertad siempre la he amado, el ser libre tiene que ser algo hermoso, maravilloso. Todos nacemos libres, solos y aunque estemos acompañados somos el centro de nuestro propio universo y no nacimos pegados con nadie, nacimos solos, y solos vamos a morir, y no es para dar miedo, es para ajustarnos a la realidad.

No quería confundirme más de lo que ya estaba con ideas que me revoloteaban en la mente, y esto me hizo pensar en retirarme de todos, quería estar sola y encontrarme, analizar lo que tenía que hacer.

SURGE EL PERDÓN

Tenía mucho dolor, coraje, resentimiento a la pérdida y ansiedad. Eran una tortura, me daba vueltas la mente día a día y en lugar de disminuir, crecía. La sentía más fuerte y negativa, quería tener el poder para castigar a esa persona y herirlo, que sintiera un poco de mi dolor, quería la atención que un día tuve de él, pero ahora, para que sintiera mi desprecio, darle donde más le doliera, quería que me pagara todas esas noches de dolor, que lloré hasta quedarme dormida.

Me sentía tan sola, y él se veía tan pleno, tan feliz y enamorado, parecía que hasta flotaba, eso me llenaba de furia; mi mamá comentaba *"no sufras, él gozando y tú sufriendo"*. Me decían, *"tienes que perdonar para liberarte del dolor"*. Es difícil perdonar cuando tienes la lucha, estás a la defensiva con el duelo a flor de piel; era una encrucijada emocional, tenía que dejárselo al tiempo, tenía que dejar que las cosas fluyeran porque por el momento no podía perdonar.

Yo quería desquitarme, sabía que tenía que perdonar, pero no estaba lista para un perdón. ¿Cómo se lo iba a dar, si ni siquiera me lo había pedido? ¡Eso me enfureció más! ¡Me imaginaba que me pedía perdón y que yo lo mandaba a la ching...da! Que me rogaba, y yo no le hacía caso; disfrutaba de esa sensación. El tiempo pasaba y la emoción tan destructiva era un vicio y todo vicio causa un vacío en el alma, eso me estaba drenando, vaciando. Si seguía así, me iba a quedar estancada en la frustración y yo no quería parecer a todas esas señoras divorciadas amargas y tristes.

Aún no estaba lista para el perdón, pero sabía que tenía que parar la adrenalina que me hacía explotar fuera de mí, era como un carro que iba a cien kilómetros por hora, ¡y que se iba a estrellar contra un muro!, ¡tenía miedo por mi salud física y mental!, ¡tanto coraje! ¡tanta furia! ¡sentía que me ahogaba! Pensé, *"no me vaya a dar un torzón y ahora sí, ¡toda chueca!"* menos me va a pedir perdón.

Esto me hizo reflexionar, me estaba autodestruyendo, si el perdonar a esa persona me iba a proporcionar la paz que tanto necesitaba y librarme de tanta angustia y ansiedad, lo voy a hacer por mí. No podía vivir en ese infierno de resentimientos, el daño ya estaba hecho. Me preguntaba constantemente, *¿Por qué lo hizo? ¿Por qué a mí? ¡Si le entregue lo mejor de mí!* ¡Quieres respuestas a preguntas absurdas!, siempre hizo lo que quiso, sin dar una explicación, algo que me convenza y/o que me de paz porque nunca estaré contenta o satisfecha con lo que él me pudiera decir.

La respuesta estaba en mí y yo me la tenía que contestar, no él, yo tenía que resolver mi dilema emocional. Ya todo estaba dado, como dice el refrán: *"palo dado ni Dios lo quita"*, tenía que soltar. Estaban mis hijos conmigo y siempre estaban observando y se angustiaban de verme con mucha tensión, y mi mayor prioridad es que ellos estuvieran bien y salieran de esta situación lo menos dañados posible.

No era necesario que él viniera a hincarse a pedir perdón, ni reconocer todo el daño que me había hecho por su abandono, simplemente él se fue y yo me quedé aquí esperando, así lo decidí, me dejó de querer y yo anhelaba que me quisiera, porque era lo que yo deseaba. Pero llegó el día, lo saqué desde el centro de mi alma, de mi corazón, de mi ser más interno, porque ahí era donde lo tenía clavado y me lo arranqué de raíz.

Cuando de veras tuve la firme convicción de soltar y aceptar su ausencia para siempre, entonces lo perdoné y me perdoné y ya no hubo vuelta atrás. Sentí mi libertad, como si me hubieran quitado unas cadenas muy pesadas que había cargado durante años, y me había acostumbrado a cargarlas que ya no sentía molestia cargarlas, me sentí tan ligera que no lo podía entender, tuve un alivio inexplicable.

Aún no justifico la manera de salir de una relación de forma tan cruel, pero decidí no ser juez ni verdugo, sentí que se desprendió de mí algo, que salió, que voló y en lugar de sentirme triste, me inundó la paz en el corazón, en mi alma y espíritu. Yo solté, y si eso es perdón, entonces lo perdono.

SABER ESPERAR PARA PROCESAR EL DIVORCIO

"Cuando el divorcio es inminente, debes evaluar y hacer movimientos en el momento preciso a conveniencia de los miembros de la familia".

En mi caso, la situación estuvo mal por los últimos años y tenía pendientes familiares que debía esperar a que se resolvieran con el tiempo. Esperé lo necesario para finalizarlos e iniciar el divorcio.

La negociación, la calma, cordialidad y buen trato entre la pareja que, aunque ya no están juntos, deben primar para llegar a acuerdos por el bienestar de toda la familia. Si se debe esperar por un tratamiento médico, una graduación de uno de los hijos, un proceso de papeles importantes, es mejor negociarlo y quedar en buenos términos.

Si hay hijos en la relación, siempre serán prioridad. Pues si no se maneja este proceso de manera adecuada, los daños colaterales serán impactados en los hijos, quedando ellos con mucho coraje y dolor.

ME ESTABA SABOTEANDO

¡Te idealicé!

Aun cuando ya lo había perdido, ya habíamos hablado del divorcio y estábamos de acuerdo en muchas cosas, de repente, me llegaba un sentimiento de añoranza, de nostalgia por lo que pudo haber sido y no fue. Esto me hacía sentir horrible, y cada ocasión que tenía que tramitar el divorcio, lo postergaba una y otra vez.

Cuando caminaba para ir a la corte, me sentía como zombi, no quería afrontar el dolor, *"no sentir nada ,"* sabía que lo tenía que hacer, y se pasaban los días, y algo se atravesaba, y en lugar de sentir frustración, sentía alivio, decía *"todavía no he dado el paso"*, y así pasaba el tiempo. Hasta que me di cuenta de que yo sola estaba saboteando el trámite para no afrontar el duelo.

Me enfrenté a la dura realidad, y me dije *"para"*de retrasar esto, enfréntate a la verdad. *Él, aunque está sentado en el sofá, tiene la mente en otro lado con otra persona,* ¡qué ironía!, y además con una cara de tristeza, ¡solo se la pasa suspirando y suspirando por no estar dónde quiere estar! Así que me fui a la corte y no paré un instante, hasta terminar el trámite… al fin pude decir ¡Ya está hecho! Cuando sometí los papeles le dije: *"vete, vete dónde seas feliz, y llévate tu amargura que contagias a toda la familia, tenerte aquí es de lo peor".*

Por no dejar ir, por aplazar el duelo, la agonía se hace más insoportable y te dañas más así que decídete y da el paso.

RESISTENCIA

Al tomar decisiones importantes que trascienden en nuestra vida, encontramos resistencia, y muchas veces interviene el miedo, obstruyendo, casi obligándote a soltar. La resistencia siempre aparece para ver si logras vencer obstáculos, es una prueba del universo que te reta para probarte cuanto deseas tu objetivo. Solo se lucha por lo más preciado y, cuando lo consigues sabe a gloria.

No desistas, no dejes que te domine la indecisión. No permitas que tus metas se queden estancadas por la inseguridad y el miedo. Nunca abandones los proyectos que has soñado e idealizado porque hace que te vuelvas apático, criticón, mediocre, sin vida y sin sabor.

LOS ABOGADOS ME DECÍAN, VETE AGRESIVA

Consulté con varios abogados y la mayoría me decía: *"vete agresiva, que él te pague los gastos del abogado"*. Yo pienso que no puedes agredir y retar a alguien porque sacas lo peor de esa persona. Es una filosofía mía, y para eso no debes actuar con agresión.

Sí, sentía coraje, rabia. Pensaba en mi mente *"hasta que destruiste todo, te diste cuenta de lo que habías perdido"* ¡pero reaccionaste muy tarde! ¡no hay regreso! ¡se acabó!

Tenía que vencer mi coraje, controlarlo al máximo, sentía que era como una fiera que estuviera controlando todo el tiempo, y estaba lista para salir y destrozar todo a su paso sin importarle nada. Aunque me mantenía en aparente calma, por dentro estaba súper agresiva, tenía que dominar y mantener la calma con inteligencia y astucia porque había gente que quería que esto terminara mal, muy mal, casi en desgracia y no lo iba a permitir.

Si esto termina en pleito, no iba a poder negociar y perdía más por darle rienda suelta a mi furia, nadie me haría perder la cordura, era mi juego y lo tenía que ganar, así como lo había planeado. Los abogados tienen sus estrategias y no las podía seguir porque iban en contra de las mías.

Él también tenía su juego, siempre buscaba alterarme y crear un drama. Un abogado me explicó que tuviera cuidado, me dijo *"si explota y hace un pleito"*, la pueden declarar como incompetente para la custodia de su hijo y poner una orden de restricción o acusarme de violencia doméstica. Después de tanta lucha no iba a crear otro conflicto más, tenía que saber planear cada

176

lucha a la que me enfrentaba, estaba agotada por tanta tensión y muchas batallas.

Me volví más asertiva y seleccionaba cuidadosamente las batallas que podía pelear. Varias peleas las dejé ir sin enfrentamiento y solas se fueron solucionando. Quién iba a decir, que la persona que tanto amé, la que más me conoce, y sabe dónde pegarme, ahora estaba del lado contrario, como un enemigo. Esta fue una de las mayores lecciones de mi vida.

EL DIVORCIO

Yo siempre creí en el matrimonio, por ironías del destino, ahora estaba tramitando mi divorcio. Ya todo estaba dicho. Las cosas iban de mal en peor, ya no había solución, tuve tanta desilusión que no pude más y lo solté, ¡o más bien el matrimonio me soltó a mí!

Un día encontré una frase que me tocó el corazón: *"Esto es la respuesta a tus oraciones"*, cuando la leí, me quedé pensando y dije, *"sí, yo creo que sí"*. Aunque, en un principio (muy al principio) yo anhelaba que mi matrimonio se salvara, que ambos pudiéramos llegar a un acuerdo, pero eso evidentemente no pasó.

Creo firmemente que Dios se compadeció y lo apartó de mí. Escuché a una persona decir: "*Dios ya te dio la oportunidad de que lo dejes por ti misma y por tus medios y no lo hiciste, ¡pues agárrate! porque cuando Dios te lo quite, vas a saber lo que es dolor*" ...y entonces lo creí.

De la nada escuché otra frase: "*Cuando las cosas se están derrumbando, es porque se están acomodando en su lugar*". Ya estaba cansada, ya no tenía fuerzas para pelear y solté, simplemente dejé que pasara lo que tenía que pasar, y si se derrumbaba, ya era tiempo que viera caer lo que todo el tiempo yo había sostenido.

Hice mi tarea, investigué todo lo que implicaba un divorcio, consulté con varios abogados mis derechos y expliqué mi situación, tenía que saber muy bien las reglas del juego y lo tenía que jugar mejor que nadie.

Yo había entregado mi vida a la familia y el destino me había volteado el juego, la realidad tocó a mi puerta, por eso para mí era muy importante saber bien cómo iba a resolver mi divorcio, porque de ahí tenía que partir para un futuro.

"

"Algunas mujeres no pensamos en el futuro...hasta que el futuro llega demasiado pronto y te agarra desprevenida."

Él veía que iba y venía de la corte y lo veía apesadumbrado, me preguntaba, *"¿cómo te fue? ¿ya lo hiciste?"* En su mirada veía el arrepentimiento y su expresión me decía que parara, su actitud ya no era retadora, ahora se veía sutil, y amable, como para persuadirme que no lo hiciera, se veía que no sabía cómo actuar.

Después de un tiempo, ya había terminado el trámite, *"Al fin me armé de valor"* como dice la canción de Reyli Barba y sometí el documento a la corte. Yo sabía que el "*sheriff*" iba a llegar a entregar los papeles del divorcio a la casa y puse el horario más temprano en la que podían entregar el papeleo.

Sabía que, a esa hora, él iba a estar en la casa para que lo recibiera y firmara, así que cuando llegó una mujer policía, él abrió la puerta. Vi en su cara la expresión de angustia y me preguntó con asombro, *"¿Por qué lo hiciste?"* y yo le respondí: *"¿Hice qué?"* a lo que me contestó: *"¿El trámite de divorcio?"*, me quedé desconcertada y le dije, *"¿Qué...? no te entiendo todo el tiempo me pedías el divorcio, ¡qué querías ser libre!, pues ahora, ahí tienes tu divorcio, ¡no me*

*decías, déjame ir, por favor déjame ir!, ¡pues vete! ¡era
lo que tanto querías! ¡ya lo tienes! ¡sé feliz, peleaste
tanto por tu libertad! ¡aquí está!, como dice la Biblia
pide y se te dará."*

"¡No!" me contestó... *"es que yo quería que me los
enseñaras antes para ver qué querías pedir y ver cómo
le vamos a hacer".* Le dije, *"pues aquí están tus
papeles que tanto me pedías, y si quieres saber cómo le
vamos a hacer, lee y ve cómo le vas a hacer tú".* La
policía todavía estaba en la puerta y lo vio tan perdido
que le dijo, *"tiene treinta días para contestar".*

PROCESO DE DIVORCIO

Investigué qué implicaba el proceso de un divorcio,
tanto derechos como obligaciones y leyes.
Generalmente, cuando inicio un proyecto le pongo
mucho interés, especialmente este, que es de interés
personal. Hago una búsqueda completa, pero en esta
situación tan personal e importante me enfoqué con
todo. Sabía que tenía que buscar un abogado y quería
saber las preguntas que tenía que formular, pregunté a
personas que se habían divorciado, les pedí el teléfono
de sus abogados.

Toda la información que me proporcionaban la anotaba en mis cuadernos de notas, y la volvía a corroborar con alguien más, muchas veces la información era diferente, así que si tenía una duda la investigaba hasta tener la respuesta satisfactoria.

No te vayas solo por lo que quieres escuchar y firmes un contrato de divorcio. Me explicaron como iba a ser el proceso y cuanto iba a ser el costo.

Me pedían la mitad del trámite para que se quedara como depósito.

Él tenía que pagar el proceso de divorcio, pero el abogado me pedía el adelanto para poder iniciar el trámite (y llenar una forma extra de la corte donde decía que él se haría cargo de los gastos del divorcio, después ellos reembolsan el dinero hasta que finalice el trámite y recolectan el dinero de él), se necesitaban dos mil para llenar todas las formas, y de ahí, cuatrocientos la hora. Esto era en contrato, y si se ponía difícil el divorcio, tenías que hacer un enlace de alguna propiedad o algo de valor que pudiera pagar los gastos de abogados.

Llamé a una amiga y le platiqué mi situación, para esto ya tenía un abogado elegido para que me representara, pero ella me dijo que fuera a la corte y que ellos tenían un "*self-help*", un centro donde te ayudaban a hacer tu trámite sola.

No quería hacer el trámite yo, pero la actitud de todos los abogados me daba mala espina, sentía que iba a caer en una trampa, y no quería estar atrapada en una situación legal que durará años. Busqué la información del lugar que mi amiga me había dicho, porque al final nada perdía, ya tenía todos los documentos que solicitaban, ya sabía de qué se trataba el proceso de divorcio, ya lo habíamos hablado y negociado.

Él también se había informado con varios abogados y le pedían más dinero que a mí, también le decían que fuera agresivo. Él siempre me preguntaba, *"pues dime, ¿qué me vas a pedir"*, le contestaba, *"lo que otorga la ley y tú sabes bien a qué me refiero"*, le decía, *"ya viste a varios abogados y sabes que te va a salir caro, mejor pongámonos de acuerdo para solucionar esto, sin perder más de lo que ya hemos perdido"*; para este punto ya estábamos muy desgastados emocionalmente y lo mejor era poner de nuestra parte, porque si no, los únicos beneficiados eran los abogados.

Fui a la corte, y tienes que ser de las diez primeras personas para que te atiendan. Así que, organicé todos los papeles que podía necesitar, y me fui muy temprano al "*self-help*". Me dieron tres paquetes de formas que se tenían que llenar, yo veía muchos papeles y no sabía por dónde empezar, los leía y los leía, les daba vuelta y los organizaba, había en mí una resistencia que no podía explicar, ansiedad, miedo, tristeza, ¡qué se yo!, era un sentimiento extraño que nunca me hubiera imaginado que tenía que afrontar.

Al fin me armé de valor y empecé a trabajar en analizar y llenar. Trabajaba en el borrador al mismo tiempo que negociaba con él, iba a la corte y los del centro me veían llegar, ya sabían que tendrían que hacer un cambio más, a veces ponían cara de enfado, pero no me inmutaba, ese era su trabajo y tenían que hacerlo bien. Siempre me cercioraba de que no hubiera errores, le ponía mucho tiempo, pero me evitaría dolores de cabeza, tiempo extra y dinero que no quería gastar en el futuro.

Una vez le dije a un chico que me ayudó en el centro de ayuda, *"para ti es un día más de trabajo, pero para mí hacer este trámite legal es un reto personal y lo tengo que hacer perfecto"*. Tomé el tiempo necesario para que me saliera como yo quería, *"perfecto"*.

El último día que había llenado todas las formas, ya estaba a punto de someterlos, pero decidí esperar, para volver a revisar todo muy bien.

Sé que los que me ayudaron quedaron cansados de mí, pero en mí había una satisfacción que no puedo explicar. Terminaba un ciclo de mi vida. Un nuevo comienzo donde conseguí lo que me propuse.

Cuando ya estaban los papeles completos, los sometí a la corte por un poco menos de quinientos dólares, pagué para que el sheriff entregara el papeleo, ahí en el mismo edificio está la oficina donde mandan el papel de notificación del divorcio. Él solo tenía treinta días para responder a la demanda de divorcio, cuando el reviso el papeleo, tenía una que otra diferencia a lo que habíamos hablado, pero estaba bien todo, toma en cuenta que, si él está de acuerdo en lo que llenaste, y no contesta, el trámite sigue su curso, la corte los cita para tener mediaciones y se van poniendo de acuerdo según los papeles que llenaron.

La corte nos mandó una mediación, pero en el centro de ayuda me dieron un teléfono de la Universidad de Loyola, que es una escuela para abogados.

El Estado les proporciona fondos para que den servicios de mediación profesional gratuitos, y para que estos casos no lleguen a la corte y la saturen. Llamé y me dieron una cita, nos explicaron de qué se trataba y decidimos hacer las mediaciones con ello.

Ellos, en conjunto con nosotros hablábamos de cada forma llenadas por mi y ellos iban tomando nota de todo y si no estábamos de acuerdo en algo ellos lo hablaban con nosotros por separado y llegábamos a un acuerdo, después nos juntábamos en una sala y lo hablábamos hasta quedar en los términos que eran convenientes para los dos, al terminar las mediaciones, con la información de los paquetes que sometí ala corte y llenaron un acuerdo que se llama *HOJA DE TERMINOS DEL ACUERDO DE CONCILIACION DE MEDIACION FAMILIAR*. En ingles *FAMILY MEDIATION SETTLEMENT AGREEMENT TERM SHEET*.

Terminado el proceso con ellos, me dieron el acuerdo que nosotros habíamos firmado y yo solo fui y lo sometí a la corte, tenía que esperar la aprobación del juez (un paquete de formas sellado por un juez de la Corte superior de Los Ángeles).

Cuando llegó el papel, me puse feliz porque al fin había terminado un proceso muy complicado que me salió muy barato gracias a mi astucia.

LO QUE EMPIEZAS CON AMOR, TERMÍNALO CON AMOR

Hay parejas que terminan en divorcio porque uno de ellos empieza a pelear, mentir, omitir y provoca una crisis para justificar la separación, no tiene la valentía de aceptar que ya no le satisface la relación y provoca un infierno para los dos, hasta que el otro ya no puede más y termina pidiéndole el divorcio.

La pareja termina odiándose, *"todo esto es innecesario, porque si de verdad quiere la separación, la puede obtener sin crear tanto caos"*. Si de verdad quiere la separación, lo puede hacer con la verdad enfrente y sin causar daño, esto habla mucho de la educación y sentimientos de cada persona, ahí es cuando te das cuenta con quién realmente te casaste, muestra su verdadero yo.

Hasta para terminar una relación, hay que acabarla con dignidad. Escuché al actor Roberto Palazuelos, decir que se divorció y decía: *"lo que se empieza con amor hay que terminarlo con amor"* Esta frase se grabó en mi memoria, fue un shock, lo pensé, lo analicé, me costó digerirlo y pensé ¡así lo quiero hacer yo! Para lograrlo, tenía que poner una pauta, establecer un plan de cómo quería terminar mi divorcio. Sabía que esto iba a definir la relación futura entre los dos y también con los demás.

ENFRENTÉ MI MIEDO

Cuando estaba en el proceso del divorcio, muchas veces el pavor me paralizó, quería parar todo y reconciliarme. Saqué fuerzas de lo más profundo de mí y me enfrenté al miedo, me dolió mucho todo lo que implicó la situación, pero al final sentí alivio. Cuando miras a través del miedo, temes perder, por estar insegura, te sientes perdida y por miedo a no perder, pierdes más.

Ves el miedo, lo observas, lo sientes, lo palpas y te das cuenta de que lo aprendiste desde niña, siempre estaba ahí, escondido. Cuando intentaba algo nuevo, se despertaba, pero aun así lo retaba y vencía, cumpliendo mis metas. Ahora lo sé, después de tanto padecer de miedo, ¡ahora que el miedo me tenga miedo a mí.

Cruzando la penumbra del miedo, encuentras los logros por los que luchar, y la satisfacción te causa felicidad.

EL TRÁMITE DE DIVORCIO

Aunque contrates a un abogado para que inicie los trámites de divorcio, debes estar muy bien informada de lo que tu abogado está procesando, para que no te lleves sorpresas desagradables que te involucren en complicaciones que luego te atrapen en un pleito sin cuartel y pases años sin resolver tu situación.

En lo posible, sé justa y racional en tus peticiones, de nada sirve la ambición excesiva y cerciorarte que el abogado entienda tus peticiones, porque entre abogados se conocen y arman su estrategia. No te atrapes en una situación en la que tú y tu pareja salen con un pleito más grande que al principio, gastando dinero para defenderse entre ustedes.

Lo mínimo que cobran por presentarse en una corte del estado de California son cuatrocientos dólares por hora. Mi amiga Tere, había pagado ya como treinta y cinco mil dólares por su trámite de divorcio y aún no tenía un fallo decisivo, estaba en el limbo, no se resolvía nada, era una corte tras otra y el abogado quería más dinero.

Tere ya no le quiso dar más, y el abogado le dijo: *"Entonces hágalo usted"*. Tere tiene varios años en su proceso de divorcio, ¡está desesperada! Vive una verdadera pesadilla, que, aparte de afectarla emocionalmente, la hace perder dinero cada vez que va a corte.

Lo más triste es que mientras dure el proceso ya van más de cuatro años, no puede ir a su país porque no quiere dejar a su hija. El exmarido no quiere dejarla ir con ella, el tiene que firmar un formulario de autorización de viaje sin ese permiso no es posible que ella salga del país.

Si alguien va a llenar los papeles por ti, fíjate que sea en forma correcta. Personalmente invertí tiempo en informarme al respecto, para saber qué es lo que debía hacer, cuáles eran los derechos que como cónyuge me otorgaba la ley.

Invierte tiempo, infórmate, porque tienes que saber en qué te vas a meter, debes saber todo lo que implica un divorcio, si no, a la larga te sale muy caro y complicado, y no quedarás satisfecha. Yo siempre termino haciendo mis cosas, me gusta que todo salga como lo planeo, aunque invierta tiempo.

Vale la pena, en seis meses estaba todo terminado por menos de quinientos dólares.

No soy un abogado que te pueda dar asesoría legal, pero te doy referencia donde podrás encontrar esta información certera y apoyarte en un profesional experto del tema, como un abogado de divorcio.

Cerciórate que la corte en Estados Unidos te corresponda
www.courts.ca.gov
www.lacourt.org/selfhelp
(213)830 0845
Help center ayudan a llenar los papeles 8:00 a.m. 12:30 p.m

Court service-county of Los Ángeles
Loyola law school / Los Ángeles centro de mediación
www.lls.edu/ccr

Demandante
Forms / formas para llenar y someter en corte en inglés también se pueden conseguir en español

Fl-120 1 of 3 *Respond-marriage/domestic partnership* son 3 páginas.

Fl-311 1 of 2 child custody and visitation son 2 páginas

FL-341 (D) 1 of 2 *ADDITIONAL PROVISIONS* son 2 páginas

fl-105/gc-120 *declaration under uniform child custody jurisdiction and enforcement act (uccjea)* 1 of 2 son dos páginas

fl-150 *Income and expense declaration 1 of 4* son 4 páginas

fl-160 *Property declaration 1 of 4* son 4 páginas dobles.

Si el demandado está de acuerdo en todo lo que llenaste en las formas y no responde, sigue el proceso, pero si no está de acuerdo, tiene treinta días para responder y someter su paquete con otras formas.

Formas del *respondent* (demandado):

Respondent forms/formas del demandado
Fl-120 1 of 3 response-marriage/domestic partnership

Fl-311 1 of 2 *child custody and visitation (parenting time)*

Fl-341(d) *1 of 2 additional provisions-physical custody attachment*

Fl-105/gc-120 *1of 2 declaration under uniform child custody*

Jurisdiction and enforcement act (uccjea)

F-150 *1 of 4 Income and expense declaration*

Fl-160 *Property declaration 1 0f 4 property declaration.*

Para llenar las formas, ten todos tus documentos listos para tomar la información. Cuentas del banco, cuenta de ahorros, registración de carros, *401k stocks* que algunas compañías les dan a sus empleados (investiga), títulos de propiedades, joyas, muebles etc.

Debes pagar una ínfima suma de dinero para que entreguen a tu domicilio la noticia de la corte, no comprometas a nadie de tus familiares o amigos, vale más pagar para que evites malentendidos y dolores de cabeza.

CÓMO MANEJÉ LA TOLERANCIA PARA LLEGAR A MI META

Para manejar la tolerancia, me volví experta en observar cada emoción, separar la frustración de los sentimientos y analizarlos por separado.

La Tolerancia, es resistir ante todo tipo de prueba, ver más allá del dolor, tener cordura para llegar a tu meta. Es aprender, enfrentar, entender y transformar la emoción en algo positivo y aplicarla en el momento adecuado. Es darle tiempo a cada situación con paciencia, fe y ánimo de que todo va a salir bien y a sonreír de nuevo.

DI TODO DE MÍ, HASTA... LA ÚLTIMA OPORTUNIDAD

Hice todo para salvar mi matrimonio y ahora me voy sin remordimientos. Me retiro con la frente en alto. Di todo lo que una puede dar y hasta la última oportunidad.

De esta determinación, nadie me va a convencer para que cambie de opinión, ni voy a titubear de mi decisión; de ahora en adelante, me hago cargo de mi vida, no me interesa el juicio social o lo que piensen de mí.

MODIFICA

Cada que pensaba algo lo analizaba y lo modificaba de manera que no me causara angustia, especialmente, a mis hijos. Fui muy atenta y cuidadosa, en no caer en la emoción que se relacionara a él, no quería que ninguna situación alterara mis sentidos, lo que oía y veía de él ya no era de mi interés personal, por eso me había divorciado, para soltar las situaciones que no quería más en mi vida.

Mucha gente me llamaba, para preguntarme cómo me sentía o por qué me había divorciado, a quienes quería dar explicaciones les daba la información básica, por educación y porque éramos cercanos, quería que supieran que ya estaba divorciada.

Me preguntaban si mi ex andaba con alguien. Les contesté, *"no sé, nunca le he preguntado o no lo he visto"*. Me preguntaban, *"¿cómo te sientes?"* Yo les decía que muy bien y no se esperaban esta respuesta. *"¿Y cómo están tus hijos?"* y les decía bien, muy bien, ¡se sorprendían!

¡No hay más angustia para un hijo que ver a la madre angustiada o con miedo…! Cuidé mis palabras y acciones, para no hablar de lo que ya había pasado y solucionado, me daba cuenta de que cada emoción tiene su química y cada que hablas la vuelves a atraer a ti misma con más fuerza y el mismo efecto. Cuando me envolvía o caía con alguien platicando de lo desgraciada que fui, me entraba la angustia, la desesperación y la pasaba mal ese día, o hasta una semana. El pensamiento tiene su propio yo, conocí a alguien que decía que tenía una loca dentro, y cuando la loca salía de control, provocaba un desastre, porque la loca se mandaba sola.

Yo tenía que saber manejar a mi loca. Ella decía, *"cuando la loca se sale de mí, la desgraciada hace un desmadre"*, luego lloraba, se ponía neurótica y se victimizaba y se preguntaba ¿por qué me pasa esto a mí?, etc.

Cuando mi loca me dominaba, me deprimía un buen, tenía que quitarle poder sobre mí, su arma era mi emoción y sentimientos, que me alteraban e intensificaban al mil, y cuando me di cuenta, la tenía que dominar. Lo que hice fue no reaccionar y al momento manejar la emoción (la angustia, la ansiedad, el llanto, la desolación) la analizaba en la mente, hasta que sentía que podía respirar normal, reaccionaba sin agresividad o alterada. Yo, como hipnoterapista, decía que esa "loca" era un león que te quería cazar, que en el momento menos esperado te iba a desgarrar, y si te atrapaba, la pasabas muy mal porque arrasaba contigo.

Así fui frenando mi mente, con eso comencé a manejar mis emociones y empecé a tener paz. Fue difícil y muy fuerte, pero cuando una mujer se decide, ¡lo hace!

El ambiente en la casa cambió, se siente paz, a mis hijos se les bajó la tensión (decían que no aguantaban la tensión, que se querían ir de la casa y fue algo que me tocó el corazón) veo que la mujer cuando hace un cambio en ella, su energía y amor hace que todos lo perciban y sin decir nada se ajusten a tú mismo cambio, a la misma vibración. Sí, tomó tiempo un cambio de actitud, pero al final nos benefició a todos por la armonía en el hogar.

COMO FUE QUE ME CERTIFIQUÉ COMO HIPNOTERAPISTA

Hace mas de veinte años, había terminado de estudiar contabilidad y estaba lista para empezar a trabajar, tenía a mi niña de dos años, le enseñé a ir al baño, estuvo lista y ¡yo lista para trabajar! y de la nada me dio una depresión terrible con ataques de ansiedad.

Pasó el tiempo y me di cuenta de que no podía superar esto sola, fui al médico y estuve con medicamento por un poco más de dos años. Yo esperaba el cambio mágico que anuncian en los comerciales, en los que, sale el sol y tu vida se ve esplendorosa, pero nada paso. El doctor me daba mi prescripción en cinco minutos y me despachaba, en una de tantas citas, le pregunte al doctor *¿cuándo se me va a quitar esto?* me dijo: *"no esperes eso, tú tienes depresión por que tu familia tuvo depresión así que vas a tener depresión toda tu vida"*.

Salí del lugar alteradísima, nunca imaginé esa respuesta, me dije no, esto no me puede estar pasando a mí, si sigo así me voy a morir en uno de esos ataques de ansiedad o me va a dar un paro cardiaco.
Mi mente estaba en un estado letárgico que nunca había experimentado antes, mi papa y mis hermanos se mueven muy rápido y tienen una mente muy ágil, y yo era igual o hasta más desesperada, tan impaciente que todo lo quería al momento y perfecto; pero en esos momentos, me sentía como una zombi y me dije *"tengo que saber todo a cerca de la depresión"*. De ahí me fui directo a la biblioteca, leí libros y libros hasta no poder más, ya teniendo la información empecé a acudir a todo

tipo de seminarios de sanación holística, empecé a estudiar medicina tradicional mexicana, sanación con técnicas antiguas, una de las más importantes es con las hierbas (hierbas sanadoras) y me gustó mucho trabajar con piedras energéticas *(gemstones)*. Sentía como me estaba balanceando, poco a poco.

Me dije a mi misma, *"¡mi misma! voy a tomar un tiempo para salir de esta depresión."* Soy muy analítica y tenía mi agenda emocional de cómo me sentía día a día, apuntaba a que tiempo me daba un ataque de pánico y veía qué me lo había provocado.

Un día me fui a un seminario de sanación en el que presentaron la hipnoterapia, me registré para acudir el siguiente fin de semana, y fui, a pesar de que estaba súper lejos, en New Port Beach. Tenía que manejar sola y los ataques de pánico me daban cuando estaba manejando, pero era tanto mi interés que me fui, y me encantó. El contenido giraba en torno al manejo de las emociones estancadas a través de la relajación y guía, claro todo tiene un protocolo y un procedimiento, lo que me sorprendió fue que, muchas de las técnicas que me enseñaron, ya era experta en manejarlas porque ya las había hecho para mí durante mi propio proceso, y ahora ya contaba con una herramienta más para mi sanación.

La perfeccioné combinándola con lo que ya sabía para que tuviera efectos más rápidos, me dediqué de lleno a sanar las emociones que me tenían estancada y poco a poco fui dejando el medicamento. El cuerpo cuando va sanando solo, ya no necesita las medicinas. Cada que tomaba el medicamento se me hinchaban las manos y le dije al doctor esto, el ya sabía lo que estaba haciendo (tratamientos holísticos) y me dijo que con una navaja cortara poco a poco las pastillas y fuera ajustando la dosis, así lo hice hasta que un día ya no tomé nada.

Ahora lo analizo y pienso que uno planea, pero Dios también planea por ti, creo que como yo ya sabía manejar la depresión fue que pude salir y manejar más eficazmente la situación del divorcio. Sí, me dejaba llevar por mis emociones, pero cuando estaba en lo más bajo podía darme cuenta y levantarme, ¡cuando ya tomé la decisión y dije hasta aquí… fue cuando todo cambió a mi favor, dejé el dolor y a lo que sigue, que la vida sigue… Dios quería otro camino para mí, y fue el que seguí.

Escribí un libro de como sane de la depresión, espero lo busquen. Si tienen alguna pregunta les dejo mi e-mail elpoderdelasanacionestaenti@gmail.com

LUCHA POR PODER

Nuestros hijos nos amaban por igual y querían seguir conviviendo con los dos.

Cuando hay una lucha de poder entre parejas, se necesita de aliados y quién mejor aliado que un hijo, un hijo que desprecie al papá o a la mamá, cosa muy fácil de lograr. Solo se le debe hablar mal del otro y decirle lo mucho que te hizo sufrir para que sea juez y verdugo, para provocar conflicto. Honestamente lo pensé, pero no lo hice, porque no quería dañar el corazón de mis hijos y luego tener remordimientos. Ellos tienen el amor de su papá, no se los iba a quitar por salir triunfante en mi ego.

Me enojaban situaciones, pero aquí el que se enoja pierde, y yo no iba a perder lo que más amo, que son mis hijos y tampoco iba a crear dramas y espectáculos para romper la armonía.

Cuando firmamos el papel del divorcio, me quedaba claro que ahora de ser mi compañero sentimental, era un socio con quien teníamos que velar por el bienestar de nuestros hijos, esa persona es el padre de mis hijos y lo quiera o no, lo tengo que ver el resto de mi vida, porque queda mucho por vivir, faltan graduaciones, bautizos, cumpleaños, bodas, nacimientos... que deberemos celebrar juntos.

UNA NUEVA REALIDAD FAMILIAR

Todo cambia, todo se debe de moldear y reajustar. Dejar que todo caiga en su lugar de acuerdo con la nueva realidad. Lo tengo que aceptar. Ya nada es, ni será igual. Si doy el ejemplo, para mis hijos será más fácil la transición y el ajuste de vida que deberemos de vivir de ahora en más. Lo tengo que hacer por mi familia con la expectativa de crear armonía, y que la convivencia sea de beneficio para mis hijos. No seré yo la que agreda cuando no se respeten las reglas de convivencia, de respeto, de honestidad.

Al principio, él estaba desconcertado y confundido porque sabía que había actuado mal, tenía miedo de que le sacara en cara todo lo que le sabía y esperaba el reproche, la crítica, y ataques. No, no lo iba a hacer, no tenía derecho a eso, ya no era mi pareja y eso pertenecía al pasado. Él quería actuar agresivo, a la defensiva, pero mi actitud de cordialidad y serenidad le bastó para cambiar de actitud para llegar a mejores acuerdos. Esta actitud amistosa de mi parte lo confundió y creyó que era un acercamiento sentimental, pero estaba lejos de la realidad.

Se podrá confundir todo lo que quiera, porque yo sigo firme, segura de mi decisión y nunca mandé señales de posible reconciliación. Me he mantenido firme en mi actitud y eso me hacía sentir bien, porque podía estar cerca de él sin provocar alguna discusión. Eso me ha dado mucha confianza en mí misma.

Me di cuenta de que se gasta el mismo tiempo en crear armonía o generar conflicto y destrucción, eso puede ser por conveniencia, para eso se necesita mucha inteligencia, porque, aunque ya no seamos pareja, los hijos necesitan a sus padres en armonía para que puedan convivir con los dos sin dramas, esto me da paz y brinda seguridad a mis hijos, ven que su familia no se destruyó, solo se ajustó a una nueva realidad.

LA MUJER TIENE TODO EL PODER DE ELEGIR

La recién divorciada enfrenta un nuevo conflicto. ¿Cómo enfrentar mi persona ante la sociedad y ser respetada? Me decían, "¡ahora todos van a querer contigo! vas a ser presa de acoso, ¡ten cuidado!".

Todo hombre teme al rechazo, nunca se acercará a ti hasta que te mande una señal de coqueteo, de acercamiento, y tú la respondas. Depende de ti si lo apruebas, de lo contrario, no se acercará.

Tú tienes todo el poder de decidir con quién quieres estar, con quien deseas tener una relación ya sea de amistad o de pareja. El que alguien quiera conquistarte, no quiere decir que lo tienes que aceptar. Tienes derecho a decir ¡NO! cuando no estás de acuerdo o cuando no te agrada.

Quizás no lo sabías, pero ahora ya lo sabes, eres tú quien decide qué es lo que va a pasar. No respondas a señales que te pueden comprometer o meterte en apuros, no reacciones impulsivamente, eso te puede ahorrar muchos dolores de cabeza.

ANUNCIÉ MI SEPARACIÓN

A partir de mis problemas matrimoniales, el divorcio era un hecho, y durante el proceso de divorcio me retiré de todo y todos. Mi carácter había cambiado drásticamente y decidí retirarme de mis amigos y familiares.

Me ausenté por mucho tiempo de los medios sociales, solo seguía activa en la "*nonprofit*" que servía desde hacía dos años. En la corporación nadie sabía de mi separación. Todos asumían que algo estaba pasando por mi mirada triste y mi ausencia en reuniones sociales. No decía nada porque no quería juicios, opiniones, especulaciones, preguntas, ni que sintieran lástima por mí.

Pensaba y pensaba, ¿cómo me iba presentar ante mi gente? Ya había pasado mi noche obscura y había salido de ella con éxito. ¿Con qué actitud me iba a presentar cuando lo supieran? ¿qué iba a poner en redes sociales? ¿se tienen que enterar? No quería hacer de mi vida privada un circo. Quería privacidad, no quería dar ninguna explicación a nadie, y, además, ¡no tenía por qué hacerlo! ya era suficiente con haber atravesado un proceso tan duro y doloroso.

Decidí no publicar nada en redes sociales, solo iba a decir que me divorcié, eso era todo y nada más cuando me lo preguntaran. En ese caso, decidí responder con un "sí" firme en armonía, sin amargura, sin culpar a nadie. Llego el momento de la verdad. No podía esquivar más y tuve que decirlo. En la organización a la que pertenezco, estuve muy activa solo servicio ala comunidad todo el tiempo, nunca paré porque me distraía y enfocaba mi mente en algo.

La organización empodera a la mujer y en este momento necesitaba estar ocupada. Me veían triste, me preguntaban, *"¿qué tienes? Tu mirada es muy triste"*, yo les decía que nada, y como siempre estábamos muy ocupadas, no profundizamos nunca en el tema. Hacía mi trabajo y me retiraba, así fue por buen tiempo hasta que un día, una de ellas me dijo, *"ya no puedo más, te tengo que preguntar, ¿qué te está pasando? cambiaste tanto y no sabemos qué pensar. Dinos, ¿qué te pasa?"* No había querido decir nada, pero a este punto sabía que ellas necesitaban saber la verdad. Le dije que me estaba divorciando, se quedó muda y me dijo, *"no lo puedo creer, ahora entiendo tantas cosas"*, - y siguió- *"¿cómo pudiste pasar todo esto tú sola? es increíble".*

Esto lo tiene que saber la mesa directiva; al término de una reunión, me dijeron que estaban muy alarmadas por mí, me dieron la palabra, les dije lo que me estaba pasando. Se hizo un silencio y me empezaron a abrazar y me decían cuánto lo sentían, fue un parteaguas.

A partir de ahí, comencé a anunciar mi divorcio, lo hacía sin drama ni dolor, a la gente más cercana a mí, como mis hermanos, a mis padres, tías, una que otra amiga y no lo podían creer

La gente estaba atónita, se veía en su semblante, nunca esperan una reacción así de alguien que se acaba de divorciar, esperan oír quejas, drama, escándalos; destruir a la otra persona frente a sus ojos, y yo no lo hice.

LA GENTE SE METE DONDE NO ES LLAMADA

La gente me llamaba queriendo saber cómo me encontraba y siempre les decía, ¡muy bien! y me contestaban: - *pensé mucho en hablarte ya que estás divorciada, ahora, si lo puedes saber... Fíjate, que cuando fuimos a este lugar me percaté de... esto y lo seguí, ¡y hasta pruebas te puedo enseñar!* - ¿por qué me dices hasta ahora? - es que ya estás divorciada no te debería importar....

Sí, ¡me dolió!, ¡me entró una furia irracional! y me sentí tan mal, todo el día en mi mente iban y venían ideas para reclamar una y otra sin poder parar, me percaté de estar cayendo al mismo pantano de donde había salido y no quería regresar. Drama, dolor y ya debería cortar, respiré profundo y lo dejé pasar, lo hubiera hecho por vengarme y dejarlo mal, pero perdía todo lo ganado, ya no valía la pena.

SER CORDIAL NO QUITA LO VALIENTE

Ya llevo un buen tiempo divorciada y he visto que la cordialidad y el buen trato han traído armonía al hogar. La calma y la comunicación con la expareja ha creado un nuevo vínculo con mis hijos y en mí, pudiendo convivir cuando la ocasión lo amerita.

Ellos ven bien y sin drama que su papá esté o no en casa, cada día es lo normal. Nunca hago un comentario fuera de lugar, no pregunto lo que no me interesa, no hago malas caras, ni doy malos tratos a nadie y eso me ha funcionado súper bien. Cada día nos sentimos mejor. Somos una familia que convive se ríe y funciona bien. A veces por querer ganarle al otro por ego, salen las cosas mal, y no con el resultado que se desea obtener.

LO QUE DOY, RECIBO

Ahora quiero invertir en mi persona, así como le dediqué el tiempo y atención a todos. Quiero planear qué hacer con mi vida, crear y retomar todos los proyectos que paré y tener un comienzo que refresque mi dignidad, honor y fortifique mi autoestima.

No importa que él no haya honrado la relación, no importan ya sus actos, ni cómo me trató, ya nada depende de él, sino de mí. Lo que puso en la canasta que representa el matrimonio, lo pongo en un río para que el agua lo purifique, ahora a mí me toca llenar esa canasta de flores, quiero darme de ahora en adelante lo que merezco. A esa persona le di mi vida y ahora le doy un digno adiós, no por él, sino por mí, después de un matrimonio de muchos años no voy a tener amargura en mi corazón por lo que pienso que merecí y no me dio, esto me hace tener control de mis emociones y mi vida.

Es la forma de salvarme de la ruptura, descubrí que el respeto que le tengo a la otra persona es lo que me va a dar paz, porque lo que doy recibo, es como un espejo en el que ves tu reflejo. Terminar con dignidad, cuando acabas con algo hay que hacerlo bien, aunque no lo veas, la gente te observa y vas a estar en la opinión y el juicio de los demás, porque es el concepto que van a tener de ti, después de cómo actuaste; el cómo hagas las cosas refleja tu personalidad.

¿POR QUÉ LAS RELACIONES DEJAN DE SER SANAS?

Muchas parejas que han terminado en divorcio se lo han preguntado. ¿Cómo es posible que hayan terminado en esto?, ¿cómo es que la relación terminó tan mal?, pero ¿cómo la pareja va a terminar bien?, después de haber tenido tanto sufrimiento, resentimiento y hasta odio; esto es muy tormentoso, y más cuando hay hijos de por medio.

Busqué ayuda profesional y durante la terapia comprendí muchas cosas y situaciones, entendí que, si hubiera actuado de forma diferente, no como lo hice en un principio me hubiera ahorrado mucho tiempo y sufrimiento.

CAMBIAR DE CREENCIAS

No podía sola con esto, las emociones me estaban volviendo loca, estaba en medio de una encrucijada. Así como decía una cosa, decía otra y era cuento de nunca acabar, quería empezar desde un principio, pero no sabía dónde estaba el principio.

Tuve que buscar ayuda profesional para que me guiara y encontrar una salida, poner mi mente en paz. Tomé terapia cognitiva y encontré ese principio: *"Creencias que yo tenía sobre el matrimonio"*.

Todo parte de aquí, le puse mucha ilusión a una relación que yo creía iba a ser para toda la vida, una creencia muy arraigada que venía de familia. Una idealización. Era una fijación.

La fijación, idealización y creencias crean una química, que se mete hasta en los sesos, y no te das cuenta cómo afectan tus creencias, tu respuesta a lo que te pasa por lo que está en la mente. No es lo mismo tener una ilusión a lo que se vive afuera y ves solo lo que quieres ver. Cuando despiertas en la realidad, la verdad, es un shock. Me di cuenta cómo las creencias idealistas pueden acorralarnos en nuestra propia mente y convertirnos en esclavas.

Te sacrificas por todos, trabajas hasta el cansancio, lo cubres con ilusión, que es la mejor anestesia para no sentir el dolor del desengaño. Todo cambia, todo se transforma y el amor no es una excepción, tú has tenido cambios y no los has querido aceptar, por no querer soltar.

Muchas veces sentía la libertad de ser yo, me sentía desconectada de él, me sentía a gusto, me sentía bien, pasaba el tiempo y cuando me veía más libre, me daba miedo y me enganchaba otra vez, ahora lo veo y lo analizo: yo sola me sometía, no quería aceptar que mi alma quería cambiar, ¿cuántas veces lo ignoré?, ¡no lo sé!

Cuando me di cuenta de esto, fue más fácil acceder, así como todos cambian yo también podría cambiar, darme esa oportunidad de ser libre y soñar con un mundo diferente al que yo me había impuesto, a lo mejor por sentir seguridad.

Cuando acepté mi libertad, algo en mí se transformó, era como si esa niña traviesa volviera a resucitar, sentí que se me cayó un peso de encima, sentí una libertad que empecé a reconocer y siempre rechazaba por cumplir con una promesa que mucho tiempo se había roto y no había sido por mí.

Me sentía feliz, ¡qué libertad tan hermosa!, todo era tan fácil, me sentía dueña de mí, sentía que podía comer el mundo y todo era para mí. Retomé mis proyectos, sentía mi emoción vibrar, los días se me hacían tan cortos, no alcanzaba el día de tanto que tenía que programar, bendita libertad, qué felicidad tan grande y para que llegue solo hay que soltar.

SOLTAR

En la vida muchas veces caemos en el error de convertir a un individuo en un dios o ponerlo en un pedestal, no importa quién sea, mi pareja, mis hijos, mis padres, un amigo. Las mujeres creamos conexiones muy fuertes y profundas con los seres que amamos y les damos tiempo, cariño, pasión, y a veces los ponemos en un altar.

Doy tanto, que se me olvida que la gente tiene libre albedrío y puede elegir cualquier camino, como apartarse de uno, es ley de vida. Nuestras conexiones son tan intensas y las creencias tan profundas, que causan apegos que nos encadenan y creemos que la gente no nos puede fallar.

SE VAN PORQUE NO TE SABEN APRECIAR

[7]Cuando la mujer sabe y conoce que su valor no es el dinero, ni la apariencia física, sino la esencia misma de la persona que busca a su igual.

Sus valores la distinguen, su inteligencia asombra, su veracidad, la tenacidad y audacia es su fuerza, esto lo valora un hombre con los mismos principios y sentimientos; si no tiene las mismas cualidades, no las podrá ver y apreciar y tendrá que irse de tu vida. Si se va déjalo marchar porque no te va a proporcionar lo mismo que pides y das, como lealtad, valores, veracidad y respeto

Entender que la vida es un maravilloso juego para disfrutar, tenemos que aprender las reglas básicas, y saber soltar a tiempo es una de ellas.

---

[7] Lucia Martine. Mujeres exitosas en AA

INTEGRIDAD

La integridad es hacer el bien, aunque nadie te vea.

Cuando eres una persona íntegra y te aferras a algo que ya no puede ser, pero por tus creencias lo quieres retener y tu integridad te grita que lo dejes, sabes muy en el fondo que tiene que terminar, porque tu instinto te lo dice, te guía y tu integridad te dice que todo va a estar bien, solo tienes que soltar y regresar a tu centro.

La integridad habla de lo que eres y cuando haces lo que dices, tus actos dicen más que las palabras. Cuando escuchas a tu intuición, siempre te va a llevar a la integridad que es la paz mental.

Tomar la mejor y certera decisión te va a hacer feliz y es la verdad que te hace ser una persona íntegra.

DIGNIDAD

La dignidad te da una sensación de plenitud, satisfacción y amor propio que enaltece a tu personalidad. La dignidad honra a las personas especialmente cuando estás pasando por un divorcio.

INCERTIDUMBRE

Sí, la incertidumbre te inunda y carcome por dentro y no te deja ver la realidad de con quién estás viviendo, mira más allá de lo que ves y analiza lo que sientes y te encontrarás a ti, a tu verdad. No te devastes, no estás sola, te tienes a ti.

TRABAJÉ EN MI SANACIÓN

Si analizar mis creencias me va a dar paz y tengo que trabajar en ello lo voy a trabajar y lograr. Todos los días grababa videos de terapias y las oía una y otra y otra vez hasta que sentía calma y paz. A veces duraba hasta meses con la misma lección, no dejaba nada incompleto hasta que encontraba en mí paz, cada emoción que me martillaba el alma, la estudiaba, la analizaba, entendía cómo me había afectado y cómo lo podía ajustar para mi bien.

Me tomó mucho tiempo, pero día a día me sentía mejor, cada emoción la trabajé al máximo hasta encontrar la verdad. Dicen que la verdad te hará libre y sí, cada día era una verdad que descubres. Todas las creencias tienen que ser readaptadas al cambio para mi beneficio y de los que lean este libro.

¿POR QUÉ LA OTRA CONSIGUE TODO LO QUE QUIERE?

Algunas mujeres me preguntan, ¿por qué la otra tiene más éxito que yo? ¿por qué no lo pude retener y conquistar? ¿por qué ahora él hace con ella lo que yo tanto le pedí que hiciera conmigo y mis hijos?, ¡no es justo! ¡La otra ha logrado lo que yo nunca pude!

La otra, significa entretenimiento, variedad, novedad, gusto. Nadie puede parar una relación de dos personas adultas si quieren vivir un romance.

Y así la mujer sea la mejor esposa, el que quiere engañar siempre va a encontrar la manera de hacerlo, esto a él se le va a hacer más apetitoso, porque crea más adrenalina que le causa más excitación, lo hace sentir más deseado, se siente un Superman.

Para la amante, se convierte en un reto llevarlo a vivir con ella y ser la pareja ideal.

He aquí algunos detalles:
- La amante no hace ningún drama, tiene prohibido las peleas, porque si no, lo pierde.

- No hay castigos, ni reproches.

- No discusiones absurdas, solo placer.

- No lo critica, él es perfecto.

- Lo admira todo el tiempo, lo mima. Es lo mejor que le ha pasado en la vida.

- Siempre busca cómo hacer que el vínculo sea más fuerte entre ellos y que nada ni nadie lo pueda romper.

- Nunca le deja de hablar y si pasa eso, rápido lo contenta de la mejor manera posible.

- Es la mejor amiga que pueda tener.

- Jamás discute. No puede permitirse ese lujo. Porque si no, pierde la admiración de él, y lo que es peor, lo puede perder todo. Está en un sube y baja, pero ella siempre encuentra el balance. Siempre tiene que estar de su parte, para ella es una inversión de vida.

- Lo oye. Crea una comunicación profunda. No lo abusa ni lo acusa.

- No le haya defectos. En cada defecto que él tiene, ella le saca una cualidad y todo lo que hace él, lo hace súper bien.

- Lo mima. Encuentra frases hechas especialmente para él desde que se levanta, lo consiente haciéndole sentir que es súper especial. Logrando que él comparta sus opiniones, expresando sus sentimientos más profundos sin sentirse juzgado.

- Lo "amaistra". Ellas los re-educan como a los perritos, no recompensa hasta que hace un buen truco. Lo estimula para que él cumpla con sus expectativas, lo tratan tan especial hasta que cumpla con lo que ellas le pidieron y les sueltan algo nuevo hasta llegar a donde ellas quieren, y el hombre está otra vez domesticado.

🦋 ¿Por qué el cambio? ¿qué falló en ellas? Ellas los educan para ser compañeros de hogar, las otras mujeres los adoptaron para ser atendido como un hijo más para ella.

Usualmente, después de un divorcio, muchas de las mujeres sienten mucho dolor y frustración, especialmente después de haberse enterado de que sus esposos ayudaban a la otra con los quehaceres de la casa, recogían los hijos de la mujer a la escuela, ayudaban en las tareas del colegio, cocinaban, lavaban los trastes etc. y decían lamentándose: ¿por qué en tantos años de matrimonio nunca me ayudó y viene una tal por cual y le cumple con todas sus exigencias sin titubear?, y empieza el infierno.

Aquí está la formula, en el modo de pedir está el dar, y ellas bien que lo saben pedir. Ellas, "la otra", los educan para ser esposos; y las esposas los tratan como inútiles nunca hace nada bien, lo tengo que hacer yo. "Mejor para evitar peleas que lo haga ella" los hijos dicen nadie como mi mamá.

¿POR QUÉ NO SUPE ESTO ANTES?

Me he quedado en shock, el saber lo que ahora sé. Cuando era joven me hubiera gustado recibir orientación de las relaciones humanas de pareja. En la secundaria teníamos una clase de civismo y me gustaba mucho pero solo nos enseñaba lo básico, reglas para vivir en sociedad.

Nada sobre lo que es tener una real y no ficticia relación de pareja, ser compañeros y esposos, ser leal a uno, para no perderse a mí misma, y sin miedo de perder lo que verdaderamente importa, impacta el no haber puesto un límite cuando se rebasan nuestros derechos elementales y haber sido tolerante porque se nos enseña a buscar el amor y ser esclavo de ese amor, a buscar un macho disfrazado de príncipe azul, que te adiestra para que lo trates como rey, y no un hombre responsable y leal.

En lugar de buscar el amor, hay que saber buscar dentro de nosotros mismos cuáles son los dones que Dios nos regaló, desarrollarlos y ser profesionales en eso, crear una economía que te haga ser autosuficiente y crear un ahorro, ser una persona independiente económica y emocionalmente, para no caer en la codependencia, para poder ver el amor verdadero con otros ojos, el amor puro que sí existe en otros niveles y atraer a un ser humano digno de un amor que sea a la altura de ti misma, y ahí es cuando el amor verdadero va a aparecer, y si así lo quieres, será para toda la vida.

NUNCA TE TRAICIONES A TI MISMA PARA COMPLACER A OTROS

Esta frase me ha llegado hasta el alma, lo he sentido, vivido y actuado. Por costumbre siempre caes en el mismo error, haces todo por todos, menos por ti.

¿ERES UN OBJETO SEXUAL?

Cuando la relación es por placer o conveniencia, y no por amor, se crea una relación de dominio y de sometimiento, donde se convierten en objeto sexual uno del otro.

A la vez se convierten en un imán que atrae a gente con la misma vibración sexual energética, las personas se acercan solo por obtener placer, es un vínculo que ellos crean, mucha gente se pregunta por qué atraen siempre a un tipo de personas, sintiéndose vacíos, usados y cansados que llegan al agotamiento total.

Esto causa una frustración porque siempre salen perdiendo, en tiempo y dinero, terminan desilusionados, solo atraen aves de rapiña que buscan ventajas, seduciendo, y haciéndoles creer que son lo máximo, hasta que se aburren y se van con otra víctima.

Entre más relaciones sexuales tengas, el vínculo se hace cada día más fuerte, llegando a la lujuria.

Al tener relaciones sexuales se crean vínculos energéticos que se conectan entre las parejas sexuales con las parejas de las parejas que se han tenido, creando una red de intercambios de energía con individuos que nunca has conocido, ni vas a conocer, porque fueron o son parejas de la pareja de la otra pareja que no conoces, pero vas a tener comunicación a nivel energético (percepción de estados de ánimo, emociones que no tenías antes, gustos por cosas que antes no te gustaban, puedes tener mucha hambre y acabas de comer, etc., es como si tuvieras otras personalidades que no puedes entender, pero percibes) el vínculo creado a nivel energético se intercambia, se impregna y funde en ti, sin sospechar en la contaminación energética a la que te expones.

Después de un tiempo eres un imán, que atrae gente tóxica. La energía negativa de cada persona se impregna en el otro y es la que domina haciendo cambiar su programación anterior teniendo un cambio de personalidad drástico y sin lógica.

Las creencias, valores, juicios y acciones van a ser nuevamente reprogramados por la contaminación energética de la otra persona de ser asertivo, alegre, se vuelve apático, insatisfecho, se siente muy cansado por la baja vibración densa y obscura a la que es sometido, esto hace que se sienta perdido.

El marido infiel puede ser muy astuto en cubrir su infidelidad, pero la energía se siente y aunque la esposa no sepa nada lo percibe y lo intuye siente un cambio extraño, una actitud que aunque él quiera disimular, la mujer se da cuenta, la energía sexual de la otra mujer es opuesta al de la esposa y aunque se sienten, se repelen, hay dos energías opuestas en el hombre y las dos mujeres crean conexiones energéticas entre ellas y las dos con el hombre creando un torbellino de pasiones entre los tres, cada mujer tiene sus objetivos bien programados, la esposa queriendo la estabilidad para su hogar e hijos, la otra queriendo destruir a quien se le oponga, es su dominio por el hombre, porque busca una estabilidad económica para los hijos que ya tiene.

Entre ellas, empieza la rivalidad que se convierte en guerra sin cuartel por ganar la admiración y el dominio del hombre, aunque la esposa no lo sabe, solo lo intuye, la otra tiene la ventaja de que tiene al hombre por cómplice y entre los dos juegan a tener un romance y la esposa es la enemiga de los dos, uno al otro se ponen sus condiciones y sus reglas para no ser descubiertos, este engaño engancha más al hombre con adrenalina por la pasión, que lo excita al tener una amante.

El hombre empieza a ser dominado y reprogramado sutilmente, el hombre pierde la admiración y respeto hacia su esposa, los esfuerzos y dedicación que ella dedicó al hogar son anulados y la desvalorización hacia la mujer que admiraba se vuelve agresión, ahora trae los conceptos e ideas de la nueva mujer, que es una nueva sintonía en él generando un cambio emocional muy drástico.

Tiene mucha confusión y en ocasiones cuando ya ve todo perdido vuelve a tratar de conquistar ala esposa solo para saber que no la pierde del todo y sentir seguridad con el mismo.

Muchas veces la esposa está decidida en dejar la relación, pero no tiene fuerza de voluntad, la presencia de él la domina y siempre termina en el mismo juego de él.

Divorciadas las esposas de ser esposas terminan siendo las amantes y ahora juegan del otro lado; para muchas es devastador, pero no lo pueden evitar la pasión las arrasa. La relación emocional sigue porque es una separación física; la relación energética sigue porque no se ha cortado.

Yo sabía que mi relación ya no funcionaba era muy desgastante, pero, aun así, cuando tome la decisión de terminar la relación regresaba y terminaba y así paso buen tiempo, yo sabía que tenía que hacer ese proceso energético para que se terminara la relación y sabía que, si lo hacía era el final, final y lo pensaba mucho hasta que un día dije hasta aquí, hice el corte energético y todo termino, hasta ahí llego la relación emocional.

Yo había hecho esta terapia con personas antes pero nunca había hecho algo así para mí, sabía que era decisivo, pero cuando lo experimenté si lo fue, es como si la emoción se hubiera desaparecido apagado, sentí a la otra persona ajena a mi porque lo único que nos unía era el lazo energético, la confianza e intimidad ya eran cosa del pasado así que esto fue el final, final y es efectivo. Si quieres un corte así, ya seas hombre o mujer contáctame y hacemos la terapia, recuerda tienes que estar bien decidido a que todo termino.

Mándame un email a: BalanceEmocional1@gmail.com
elpoderdesanacionestaenti@gmail.com

¿ES MI ALMA GEMELA?
POR ESO NO LO PUEDO DEJAR

Cuando se tiene una relación tóxica, esa persona interconecta al sujeto a nivel memoria celular, especialmente al hombre donde constantemente es bombardeado, con ideas y sentimientos que lo confunden y deprimen. Llamándolo, creando inquietud para ir a buscarla, es por eso por lo que es muy difícil terminar con una relación tóxica.

Cada pareja sexual crea vínculos energéticos que están activos y se nutren a través de su energía vital y sexual dominando la voluntad del más débil.

Las relaciones tormentosas son creadas por personas sin valores, de poca educación y codependientes.

La gente que no sabe de esto siente una conexión muy fuerte que, aunque sabe que la relación es muy desgastante y negativa se la venden como el alma gemela, porque no puedes dejar a esa persona, no sabe que esa persona se nutre de su energía vital, siempre está atento a él, dominando su voluntad.

Esto lo hace cada vez más débil y vulnerable, solo se puede cortar, cortando las membranas energéticas que se crean cuando hay una relación sexual.

RECUPERAR EL SENTIDO DE PERTENENCIA Y SEGURIDAD

"Eres un ser creado por derecho divino, porque antes que tus padres te pensaran, Dios ya te tenía a su lado. Eres polvo de estrellas que contiene todo lo que existe en el universo, por eso puedes crear todo lo que desees". Pide y se te dará.

Estoy convencida, de que todos, en algún momento de nuestras vidas, hemos sentido un vacío emocional. ¿Qué es un vacío emocional? Se siente una emoción que se convierte en una sensación de mucha tristeza y un gran sentimiento de soledad. ¡Sabes que hay algo que te falta y que necesitas para sentirte completa, pero, aunque no lo puedes identificar con certeza ese algo! Sientes la necesidad de cariño, lealtad, amor, aprobación y sentido de pertenencia.

El saber que existen esos sentimientos, sientes la necesidad de experimentarlos. Al abrirte a la decisión de aceptar y recibir consciente esos sentimientos, el universo te da permiso de experimentar ese sentir, y es como si la brisa del amanecer llega y llena todo a su paso con suavidad, llega sin avisar impregnando todo tu ser, despertando todos tus sentidos, reprogramando ese código mágico que solo el universo conoce y es el amor y la aceptación.

Lo que conlleva inevitablemente a crear y reafirmar un derecho de pertenencia, porque estás en este mundo para ser, vivir, sentir y experimentar la felicidad.

 ## CAMBIO SOCIAL

Quería algo diferente para mí; en mi interior sentía una insatisfacción y sabía qué era lo que quería cambiar: quería un medio social diferente, tener nuevas amistades, asistir a diferentes eventos que tuvieran un propósito distinto, no solo pasarla bien, me gusta mucho el teatro, la música, la fotografía, la pintura, la escritura, el deporte. Quería que la gente viera lo mismo que yo, así que empecé a ser voluntaria en organizaciones sin fines de lucro, para empezar a generar un cambio.

Me atrae la gente que tiene pasión por lo que hacen. El querer no era suficiente y tenía que actuar para poner en movimiento mi interés. Le pedí a Dios que me mostrara el camino, "quería salir de mi pobreza mental, cultural y social. En una ocasión cuando manejaba, escuché en la radio que, decían que si quieres ser empresario, los mismos empresarios te daban clases de como emprender un negocio.

Me interesó mucho y fui a todos los cursos que impartían, me empecé a relacionar con gente diferente, me hice voluntaria en escuelas, eventos de la ciudad, organizaciones sin fines de lucro que ayudaban al desarrollo de la mujer latina.

DATE AMOR PROPIO PARA ALCANZAR EL VERDADERO AMOR

¿El amor incondicional y verdadero realmente existe? Sí. ¡Sí existe! y lo puedes dar sin ninguna restricción.

¿A quién se le puede dar ese amor sin límites? ¡A nosotros mismos! ¡Por qué siempre entregamos a otros y a nosotros nos dejamos para el final! ¿Por qué buscamos la aceptación de la gente y a nosotros no nos aceptamos como somos y nos caemos mal?

No hay nadie más genuino y especial que tú, que yo, ¡y eso nadie lo puede negar! Y para amarte, lo primero es la aceptación de uno mismo, reconocerse y saber que el estuche que te tocó te gusta y lo amas (CUERPO FÍSICO) pero más que el cuerpo está tu ESENCIA, esa que se siente que vibra, no es tangible, no se puede ver, pero se puede sentir, y tu MISIÓN de vida que solo tú puedes cumplir, Dios te la da para dar un sentido a tu vida.

Dios te da todo, te manda aquí y ahora para que vivas una experiencia extraordinaria. Depende de ti como quieres que sea, maravillosa o una pesadilla.

Al nacer, nacemos con todo, eres perfecto e irrepetible, tienes los cinco sentidos para explorarte a ti y explorar el mundo. Eres como una cajita mágica que la puedes llenar de todo lo que quieras y puedas hacer de ti. Tienes una caja de herramientas que Dios te dio, solo tienes que reconocerlas y para eso tienes que poner atención y escuchar a tu mente y corazón porque ahí está la clave de lo que eres y con qué dones cuentas para que la vida tenga sentido, ¿qué te gusta hacer?, ¿en qué eres buenísimo?, ¿eres súper rápido con la mente? ¿Te gusta leer? ¿escribir?, ¿cocinar?, ¿nadar?, ¿jugar basquetbol?, ¿diseñar vestidos?, ¿química?, ¿física?, ¿matemáticas?, ¿tienes una imaginación extraordinaria?, ¿dibujas excelente? etc., aquí nadie viene con desventaja, todos los que nacen traen un don especial impregnado en el ADN, solo lo tienes que descubrir en ti, tienes las mismas horas del día que todos tienen, pies para caminar hacia donde quieras y solo es cuestión de que te apliques en lo que vas a hacer con tus dones y cómo lo vas a desarrollar. Abre tu mente, sueña, imagina para que alcances tu bendición.

La gente que se cierra en sí misma anda perdida porque busca fuera lo que tiene dentro y cierra su mente. [8] *"Dios a todos nos da el agua, pero, no nos la entuba, así que tú tienes que saber dónde está tu agua y tienes que hacer el trabajo para que llegue a ti."*

Hay una historia que me conmovió hasta el alma, fue la del basquetbolista Kobe Bryant se trata de un chico que quería ser el basquetbolista más exitoso del mundo y lo logró, él ya traía su don en la sangre, en la mente, en el espíritu, en su ADN. Él sabía que para lograr su sueño tenía que ser el mejor, porque ya había líderes en el basquetbol y tenía que trabajar más del 100%, si le pedían que llegará a las ocho de la mañana él estaba a las cinco y se quedaba después de la práctica, tenía pasión.

La pasión te llena de energía que da fuerzas para alcanzar los sueños, es cuando se conectan tu alma y el alma del universo. ¿Cómo se logra? dedicando tiempo

___
[8] Los cuatronados Oscar Coate AA

a realizar lo que te gusta, aunque no te paguen. Tus dones te gritan que los saques, la señal es, que no puedes dejar de pensar que lo tienes que hacer; la gente famosa es un ejemplo claro en la pasión que le dedican a todo lo que están inclinados a ser.

Sentir, experimentar, disfrutar, a unos les gusta nadar como Michael Phelps, a otros les gusta el golf como Tiger Woods, el ballet como Misty Copeland, la música como Natalia Lafourcade, la ciencia como Marie Curie, que fue una química que descubrió la radioactividad y ganó el primer premio Nobel de Física en 1903. Ophra Gail Winfrey Filantropia, autora, actriz, creadora de su revista y lanzo su TV NETWORK OWN.

Todas estas personas tan honorables tenían lo mismo que nosotros tenemos: tiempo, un don y una misión que cumplir. Cada uno de ellos fue movido por una pasión, y en su mente tenían fijo lo que querían y podían hacer para lograr su meta.

Cuando tú descubras lo mismo y tengas la certeza de esa pasión, que no es una obligación, dedicarás el tiempo que requiera, y cuando llegues al punto en que ya lo estás trabajando, es cuando te llegará la bendición, porque todos los caminos hacia tu sueño se abrirán y Dios o el universo, como lo quieras llamar, te conectará a la esencia del universo y todo se te dará, pero tú tienes que ponerle el trabajo, esfuerzo y dedicación, eso solo depende de ti.

🦋 Cuando das lo mejor de ti, eso es amor verdadero porque te das a lo que más amas y se lo tienes que dar al universo. Cuando ya hayas hecho el trabajo, alcanzarás la gloria y el nivel económico que merece tu esfuerzo, tú le pones los ceros que quieras.

Cuando esperas que la gente haga por ti, que se esfuerce por ti, y tú no haces nada, cierras tu mente y pierdes tu bendición, sientes una insatisfacción, incomodidad, nada te llena, nada te satisface, es un vacío que no se llena con nada.

La insatisfacción siempre busca alivio, y busca algo que altere los sentidos para no sentir una sed que nunca se llena. Cuando altera los sentidos lo sientes como un deleite y te inclinas a los vicios.

¡Mucha gente nunca ha podido callar la voz del alma, no sabe lo que es! ¿De dónde viene? y llenan de alcohol al cuerpo, drogas que calman por un tiempo, pero eso se vuelve una adicción, la adicción es un vicio de placer que entre más le das más te exige, hasta que pierdes el control de tu vida. Ese placer, el universo te lo da gratis, tú lo buscas de forma indirecta en vicios, el ocio y aburrimiento en la vida.

La señal de que no has encontrado tu pasión se manifiesta con fastidio, apatía. La apatía es lo peor porque nada te sabe, nada te sorprende, nada te mueve y es que por flojera ignoras a tu mismo ser y lo sometes a tu voluntad atrapando al espíritu a una esclavitud.

Nadie te va a obligar a nada, porque solo tú puedes reconocerte, nadie más y solo tú sabes lo que quieres. Dios no te va a obligar a que hagas el trabajo que te corresponde, pero nunca vas a encontrar tu gracia y vas a ser infeliz. Desgraciado en el amor es matar tu verdad con emociones falsas.

Una de ellas es el placer a la sexualidad, al sexo sin amor y eso se arraiga hasta lo más profundo del alma, no eres feliz ni haces feliz a nadie. Los vicios solo traen vergüenza y deshonra, creas una nueva personalidad arrogante, narcisista, un ego que es muy difícil de domar.

Nadie puede cambiar una conducta tan ensayada y aprendida por la desviación del ser, la única manera es tocar fondo y poner atención a tu vida, nadie te va a sacar de ningún vicio creado por ti mismo, más que mirar dentro de ti. Caíste ahí por ignorancia, ahora con esto ya lo sabes: ¡rescátate!

El amor verdadero, el genuino, llega cuando has cumplido tu misión en la vida, o si ya estás en camino de tus logros. Mucha gente se queja de no encontrar el amor y es que no está la persona lista, porque si no, nunca alcanza a desarrollar y enfocarse en su misión.

La mayoría de las parejas jóvenes se casan sin saber con quién se están casando, porque no han alcanzado la madurez emocional, física, ni tampoco un desarrollo personal (misión en la vida) y terminan en un fracaso que les cambia la vida. Muchas de las personas que se han separado se enfocan estando solos y emprenden sus sueños que dejaron abandonados por poner atención a la pareja, que al final no era la pareja ideal para sus fines personales.

Si aún no has encontrado tu pasión, espera. Busca en ti, qué quieres de la vida y la vida te va a responder con inspiración, se despierta en ti algo que ya creías olvidado, la inquietud y la habilidad que siempre tuviste desde niño. Espera, descubre y cuando lo encuentres pregúntale al universo si esto es lo verdadero y el universo te va a responder y tú lo vas a saber.

Si estás en una relación, date el tiempo de desarrollar lo que siempre has querido hacer y dale prioridad hasta encontrar tus sueños perdidos. ¡SUERTE!

SACAS TUS VIRTUDES Y HABILIDADES

La felicidad no depende de una pareja o persona, ya que estás completa sabes lo que te hace feliz. Cuando tienes pareja es solo un complemento para ti. Tu vida está muy ocupada con el trabajo, los hijos, el marido, pero, aun así, la inquietud interna de lo que amas y que siempre has querido hacer no se calla, te pide atención.

Tu espíritu te pide que desarrolles tus dones, que saques tus virtudes y habilidades, esa idea, ese gusto que tienes clavado en la mente del alma, aunque a la gente le parezca irracional y loco, pero que para ti es verdad. Lo tienes que hacer porque ya se convirtió en obsesión, son ideas de las cuales no puedes dejar de pensar.

Cuando no cumples con tu cometido, sientes ansiedad, quieres comer algo, ¿y no sabes qué? Pruebas y pruebas y nada te sabe, sientes todo insípido, tienes sed y con nada se quita, y ya tienes treinta libras de más. Hasta que por fin haces tu gusto realidad, te sientes satisfecho, entras en balance, la paz llega a tu mente, el corazón se pone contento lleno de felicidad, al fin escuchaste tu voz interior, esa que siempre te hablo pero que te resistías a escuchar.

DESCUBRÍ TARDE UNO DE MIS DONES

De niña, siempre quise nadar y nunca pude. Tenía una imagen en mi mente en donde nadaba, no sé si era una laguna hermosa o en el mar, cada vez que la recordaba, tenía una sensación cálida de plenitud total al sumergirme en el agua.

Nadar, para mí, era un deleite, así que quise que mis hijos aprendieran a nadar a un nivel profesional. Durante las vacaciones de verano, registré a mi hijo cuando tenía 7 años, el asistente me informó que el niño podía tomar la clase solo, me encantó la idea, era la primera vez que podía estar sin supervisar a mi hijo más pequeño, estaba libre, libre en muchos años, y pensé en voz alta y dije, "¿qué voy a hacer conmigo?" y el joven del registro me dijo: "usted puede tomar clase a la misma hora que su hijo".

Me embargó la emoción, y por supuesto que me registré, estaba súper emocionada porque toda mi vida quise aprender a nadar, era mi sueño hecho realidad.

En el primer día de clase, me percaté que todas las señoras que llevaban a sus hijos eran conocidas mías, no podían evitar mirarme con sorpresa al verme con mi traje de baño lista para aprender y me preguntaban, "¿no te da vergüenza?", y yo les decía: "vergüenza ¿por qué?" – "pues porque ya estás grande", les respondí: "¡No! toda mi vida he querido aprender a nadar, ¡es un sueño hecho realidad!"

Me encantaban las clases, me reía mucho, encontré a dos señoras con las que hice equipo, siempre estábamos juntas en la alberca. Cuando los instructores que eran unos jóvenes muy estéticos y en forma, nos enseñaban las técnicas del nado y empezamos a practicar casi nos ahogamos, una pierna flotaba y la otra no, terminamos todas torcidas, nos burlábamos una de la otra; no sabíamos cómo controlar el cuerpo en el agua, ya con práctica lo logramos, fue muy divertido y des-estresante.

Creo que ha sido uno de los momentos más divertidos de mi vida. Yo era esa niña que siempre quiso nadar, hice algo tan deseado que me dio mucha felicidad. Las señoras nos observaban y me preguntaban: *"¿cómo te sientes?"* y yo solo atinaba a decirles: *"¡súper feliz!"* A la sexta semana ya cruzábamos toda la alberca, como un plus perdí pulgadas, peso y de paso me tonifiqué.

También me paraban en la salida de las instalaciones para preguntarme si no era difícil, les contestaba: *"al principio sí, pero lo veo como diversión"*. La última semana teníamos que brincar del trampolín, no había ido a la última clase y algunas me decían, *"¡no te avientes! qué tal si no sales"*, yo solo pensaba que, si no lo hacía, me iba a arrepentir toda mi vida y no iba a perder esta oportunidad.

Cuando me alisté para saltar del trampolín, le pedí al salvavidas y a mis compañeras -entre broma y verdad- que si no salía a flote en unos segundos llamaran al 911 y al canal de noticias 34.

El instructor estuvo muy pendiente de mí en todo momento. ¡Y me aventé! Fue una experiencia maravillosa, cuando me introduje a la alberca, abrí los ojos, vi lo profundo de la piscina, se veía súper azul y yo en la profundidad... me sentí como sirena y una sensación de plenitud desconocida, luego, el agua hizo su trabajo, subió mi cuerpo a la superficie, cuando salí, todos estaban expectantes de mi triunfal salida, de repente todos me estaban gritando: *¡Nada! ¡nada!,*

¡nada hacía la orilla! Fue hermoso, si hubiera tenido la oportunidad de nadar en mi niñez, sé que hubiera sido una nadadora profesional.

Los miedos a lo desconocido nos paralizan, pero, dicen que atravesando el miedo existe la magia del poder, que hace realidad tus sueños. Cuando tienes muchos logros, fortaleces a tu alma y al espíritu con experiencias que te llenan de plenitud.

Todo esto hace que tengas una personalidad firme, fuerte, empoderada con autodominio y control. Hasta se puede comparar con los placeres del amor que ya no te dominan ni hacen que pierdas el control como antes, ni se te hace obsesión.

NACE BlendEssence

Me conecté a mi pasión y nació mi línea de aceites para la piel y lo nombre: "BLENDESSENCE" Siempre he tenido una conexión muy profunda con la naturaleza, creo que la tierra nos da todo para subsistir y sanar vernos mas jóvenes y bellas.

Yo nunca usé cremas de ningún tipo para mi piel porque no las necesité, pero, cuando me llegó el cambio de edad, tenía la piel muy seca y me sentí muy desesperada, empecé a utilizar las cremas que hay en el mercado y no funcionaron como esperaba, no estaba acostumbrada a los químicos y conservadores que contienen las cremas, me producían mucha comezón, y peor aún, su aroma no lo soportaba.

Desde muy joven tengo un fuerte interés por la cultura egipcia, me encantaba y siempre leía su historia y aspectos culturales. *"Pensaba que había sido egipcia en mi otra vida".* Un día vi la transmisión de un documental en el cual habían localizado una embarcación antigua hundida con más de mil años y dentro encontraron garrafas con aceite aromático que estaban en muy buen estado y perfectamente selladas.

Esto me dio la idea de preparar aceites esenciales para mi piel, fue un trabajo arduo de investigación, ensayo y práctica, experimenté por mucho tiempo, invirtiendo dinero en insumos, tiempo y esfuerzo en ello. Cada día obtenía mejores resultados, todo lo experimentaba primero conmigo, luego con mi familia y por último con amigos cercanos. Durante el proceso experimenté con diferentes tipos de piel, al ver los buenos resultados en nuestra cara y cuerpo, la gente me preguntaba qué me ponía en la piel, me veían más joven con un tono bronceado. Después de un tiempo lo empecé a vender porque la gente me lo pedía que se los vendiera.

Descubrí que cuando tienes pasión a algo y más a la naturaleza, ella te responde.

La fórmula es fabulosa, después de tanto tiempo estoy lista para lanzar mi línea de aceites para la piel, especialmente para nutrir el rostro, (*FACIAL OIL*) y cuello, un aceite para el área de los ojos (UNDER *EYE OIL*) debajo de los ojos es la piel más delgada de todo el cuerpo, y es donde se manifiesta la falta de circulación por que cuando hay mala circulación debajo de los ojos se forman bolsas que reflejan una hinchazón que es donde se estanca el agua. El aceite fortalece la piel y la humecta evitando las arrugas. Dando una frescura natural de juventud. El aceite para el cuerpo (*BODY OIL*) que fortifica y nutre la piel.

Yo sé que mis productos son excelentes tienen ese amor de la dedicación y respeto a lo que uno hace, los preparo con productos naturales: hierbas, aceites esenciales, flores, frutas y sin conservadores. La piel produce su propio aceite, al untar los aceites la piel los absorbe rápidamente sin dejar residuos grasosos porque reconoce su misma naturaleza

Aprendí que cuando haces algo con pasión, dedicación y amor, el universo te responde y te da resultados maravillosos.

Mis aceites para el cuidado de la piel los pueden encontrar en mi website.

AL TRABAJAR PARA TI, TUS EXPECTATIVAS CAMBIAN

La sexualidad enmascarada que los medios de comunicación nos venden, entran en los hogares como entretenimiento en el día a día, prácticamente nos lo han impuesto como dominio en el ser. La mujer es emocional y aprecia más los detalles, no todo para ella es el coito, más bien el sentirse enamorada y querida al contacto físico como un abrazo de amor, un beso o simplemente sentarse a disfrutar de una buena película juntos. El placer y bienestar que ella desea es llenar su vida de cosas placenteras para que no ande mendigando amor.

Cuando te nutres de actividades que te gustan, tus expectativas de buscar amor disminuyen y ya no tienen la misma inquietud en ti, la mejor manera de revalorizarse es trabajar para ti, porque irás descubriendo el potencial que tienes. En todo lo que hagas enfócate, haz lo mejor que puedas, aprovecha el tiempo al máximo. Haz todos los días algo para ti, comprométete contigo día a día y cuando menos lo pienses, te encontrarás satisfecha, plena, diferente, empoderada y verás que tu esfuerzo valió la pena, ¡y que es todo para ti!

NO TENGO SUERTE... EN EL AMOR

¿No tienes suerte en el amor? ¿Buscas pareja en vano? ¿No encuentras nada para ti? En el universo todo va en orden, no has trabajado en desarrollar tus dones que te llenan de asertividad, energía positiva y empoderamiento, por lo mismo no tienes la energía desarrollada para amar en plenitud.

Cuando desarrollas tus dones y los aplicas, aparecen muchas pruebas que debes superar. Cuando trabajas en tu misión de vida, la vida te pone pruebas para crearte un carácter fuerte, asertivo, que va a ser parte de tu personalidad, si no empiezas no hay proceso, ni línea de vida en qué trabajar.

Si lo callas o no lo quieres hacer tu misión o proyecto de vida, y la actitud te empieza a cambiar, te vuelves apático, enojón, envidioso del amor de otros y piensas que necesitas amar. anhelas un amor ideal y buscas a la pareja en vano.

Tu espíritu sabe bien lo que quiere y lo que tiene que hacer, el encontrar pareja en estos momentos es un obstáculo más para tu desarrollo personal.

Puede que encuentres una pareja muy guapa, seductora, que te mueve el piso, buen sexo, puede que en ese momento te calme la ansiedad sexual que cargas, pero, a largo plazo, no sacia tu ser completamente, es decir, no te sientes completo, porque no tienes ni la vibración ni la personalidad, ni proyecto de vida, ni la actitud que atraigas a un afín verdadero.

Vas a encontrar personas en desarrollo que andan buscando quien las rescate, incompletas, distraídas, que no tienen un propósito en la vida y que no quieren trabajar en nada, son personas que buscan quien las distraiga, les dé atención, se aburren y se van, solo te dejan confundido y hacen que pierdas el camino.

¿Qué necesitas para encontrar a la persona ideal para ti, desarrollar una vibración que te dé personalidad y que una pareja con tu vibración se sienta atraída y llegue a tu vida?

Todo en el universo es un proceso, y para llegar a esto tienes que cumplir con las leyes universales, tienes que haber hecho cosas buenas por el prójimo, haber superado todos los obstáculos y pruebas que te haya puesto o dado la vida para tener una vibración alta y tener una personalidad cautivadora donde seas un imán para atraer a todos con tu luz.

TU PASIÓN TE SORPRENDE

Ya mencioné que siempre he escrito y que soy hipnoterapista, bueno lo menciono porque esta experiencia que escribo a continuación paso años atrás, pero me acordé y la quise mencionarla en este libro.

Mara, era una joven profesional académica, muy callada, muy seria. Tuvo una desilusión sentimental muy fuerte. Su prometido rompió el compromiso con ella. Estaba muy deprimida y me pidió que le ayudara a salir de esta depresión, yo como hipnoterapista la consulte, tomo una serie de sesiones y se fue descubriendo sus creencias y hábitos etc.

En una de las sesiones la enfocamos en conectarse a su ser interior y descubrir cual era su pasión.

En una sesión tuvo un *"Déjà vu"* que se trata de la sensación de haber pasado previamente por una experiencia, cuando en realidad es la primera vez que la vivimos, y se reconoció así misma bailando tango, ella sabía que el tango le encantaba, pero le daba pánico pensar que iban a pensar de ella. Ella me decía soy una profesionista de mucho respeto como me voy a ver bailando tan sensual.

Ya sé que eres profesionista, pero es algo que aprendiste, es una instrucción para ser profesional. Hay profesiones que apasionan y te llenan la vida, pero también hay pasiones personales que te mueven el ser. Eres muy tímida, pero eso no quiere decir que no tengas esa chispa que se mueve en ti con pasión.

Pasado un tiempo, recibí una llamada telefónica, era Mara, donde me decía: "Me atreví estoy en una escuela de tango y me siento yo, me siento muy segura de mí, es como si yo sintiera que mi cuerpo vibra en todo su poder y me siento empoderada", es una sensación de libertad dentro de mí y me hace sentir completa. No lo puedo explicar. Si hubiera sabido esto lo hubiera hecho sin pensarlo, pero me sentía tan insegura me daba miedo hasta pensarlo. Deje mi inseguridad y timidez a un lado.

Se atrevió a hacer lo que su espíritu le pedía y ella sabía que lo tenía que hacer porque nunca dejo de pensarlo, sentirlo y añorarlo. Nada se hace real, hasta que trabajas en ello. Conéctate a ti. ¡Descubre y encuentra tus pasiones! Se atrevió hacer algo diferente.

Nada se vuelve tan real hasta que trabajas en ello.

TIENES QUE SABER ESPERAR EL AMOR

Si quieres encontrar a la pareja que te haga sentir feliz, tienes que saber esperar a que llegue en el momento oportuno. Así que no busques parejas, aunque sientas soledad, te puede confundir más y terminar peor que como empezaste, porque te puedes atrapar a ti mismo y no podrás salir de una relación que adquiriste por confusión. Es posible que la persona no llene tus expectativas y te deje más vacío.

Mientras esperas, conéctate a la naturaleza para nutrirte de energía positiva para que no se haga larga la espera.

CONEXIÓN SEXUAL CON AMOR

Sabemos que somos seres espirituales viviendo una experiencia terrenal y que somos energía pura, la energía sexual es de las más intensas placenteras y creadoras del ser humano.

Cuando se inicia una relación, comienza una conexión energética. Cuando la pareja tiene una unión sexual, ahí es donde empieza la conexión energética porque se funden uno con el otro.

Al unirse dos personas que se aman, su vibración energética se eleva al mismo nivel. Son dos energías muy parecidas, que al mirarse en un espejo ven su imagen reflejada como si fuera una sola, aunque sea la energía del otro. Deben tener creencias, educación, ideales muy afines.

Cuando hay una relación sexual existe una unión de energías que se nutren uno del otro sintiéndose llenos y satisfechos, queriendo estar todo el tiempo juntos, esta energía los hace vibrar, se vuelven más entusiastas, alegres, están todo el tiempo contento, son muy amigables, positivos y tienen muchos proyectos juntos. Sienten que la vida le ha dado todo.

A MI MEJOR MAESTRO

Le doy gracias a Dios por haberme dado esta experiencia, sé que sin su apoyo no hubiera salido librada de esto. Me conocí, logré superar las adversidades más terribles que alguien se pueda imaginar, aprendí grandes lecciones y te das cuenta de que viniste a este mundo para afrontar grandes batallas, nadie más que tú las puede librar.

Las decisiones más drásticas y determinantes las tienes que tomar sola, porque ahí Dios respeta tu libre albedrío y solo tienes que tomar los caminos y riendas de tu vida. Esto me enseñó a respetar las decisiones de los demás. Nadie está obligado a dejar su camino para inclinarse al tuyo si no es su deseo, aprendes a vivir sola, y abrazas tu libertad. No hay nada más hermoso que la libertad. El que tú puedas ser tú, es maravilloso encontrar este regalo y privilegio en ti y más hermoso es convivir con tu pareja cuando se aman, cuando ya no hay esto, aprendes a soltar.

Qué duro es soltar tantos años de convivencia, los recuerdos que de repente vienen a ti y te hacen temblar, como para probarte si has superado la experiencia. El que tomes la decisión de seguir adelante no quiere decir que no vas a tener recuerdos agridulces, y que no se te va a atravesar un recuerdo o una foto donde eras feliz con esa persona que se quiso ir de tu vida, aprendes a vivir con eso y no engancharte y atormentarte.

Cuidado con el recuerdo, el recuerdo trae sentimientos encontrados que te sacuden toda, pero eso es normal. Después de tantos años juntos, es imposible e irracional pensar que la mente se pueda vaciar, vaciar recuerdos, sentimientos de un momento a otro. Acostúmbrate a los recuerdos, que a veces van a venir a tocar tu mente distraída y se van a filtrar. No te emociones, no te enganches ni les pongas mucha atención, porque si lo haces te van a dar una arrastrada que en el suelo te va a tirar; acostúmbrate a eso, poco a poco te va a pasar.

Al principio es muy difícil y deprimente, te duele la pérdida. La gente me pregunta: *"¿y no te sientes sola?"* Les contestaba: *"sí"*. *"¿Y no te duele?"* me siguen diciendo. *¡Claro que sí, me dolió! ¡No soy de acero!* Pero sé que trabajé duro para poder llegar a esto, que me ayudó a aceptar mi realidad y a trabajar con lo que tengo, ¡y eso soy yo!, y nadie más que yo.

Pero ¡Cuidado! al estar sola puedes caer en tentaciones y traicionarte a ti misma y desviar tu camino a lo que de verdad quieres lograr para ti misma.

MI REGALO PARA TI

Hice investigación de campo para obtener toda la información necesaria, las opiniones y experiencias de muchas mujeres me guiaron. Esto fue uno de los motivos que me impulsaron a escribir el libro, por desconocer derechos o trámites y no saber cómo hacer las cosas, en ocasiones salen al revés y no obtienes el resultado que esperas.

El hablar con mujeres que estuvieron en un matrimonio por años, me abrió los ojos y me di cuenta de que no estamos preparadas emocional ni financieramente para afrontar en su momento una pérdida, ya sea de la pareja, porque enviudan, se divorcian o viven en unión libre y se separan.

Algunas no saben cómo encontrar el amor o cómo mantener una relación duradera, esto último implica muchas circunstancias y me tomé la libertad de detallar situaciones de otras personas porque, aunque no era mi situación o experiencia, puede ser de alguien más y el propósito es guiar a personas que estén en crisis emocionales con matrimonios disfuncionales o relaciones tóxicas.

EL PROPÓSITO DE ESTE LIBRO

Veo mis manos y traigo un anillo de piedra roja que me compre cuando me acababa de casar. En diciembre hubiera cumplido 30 años de casada, pero no fue así, ya estaba divorciada.

El día de mi supuesto aniversario vi la fecha, vagamente vinieron los recuerdos, pero ya no me importaron, ya no causaban dolor, fueron solamente recuerdos, ese día me vi con una amiga y le compartí que ese día estaría celebrando mi 30 aniversario, y me respondió:

"No puedo creer que tengas esa actitud, otra en tu lugar estaría muerta en llanto", sonreí y le dije: *"el llanto y el dolor ya lo sufrí para llegar a este estado de balance emocional, ya lloré a mares, ya afronté lo que nadie se puede imaginar, sufrí una perdida muy dolorosa, tuve que enfrentarme a mi misma, tomar mi parte de responsabilidad en esta relación, enfrentar mis creencias y mis miedos; me sacaron de mi zona de confort de un día para otro, sintiéndome desvalida, traicionada, abandonada, pero ya pasó... le pedía a Dios que me ayudara porque sentía que no podía superar tanto dolor y Él me ayudó a superarlo."*

Escribí este libro para ayudar a las mujeres que estén atravesando este proceso, un proceso que a mi me tocó que vivir sola, pero ustedes ya tienen aquí una guía.

Quiero que sepan que todo pasa, todo cambia y lo que un día les causó tanto dolor, en algún momento llegará a ser parte del pasado y pensarás: *"wow esto es vida, ¡esto es la gloria!"*

Sentirse tan bien estando en armonía con sus emociones es estar en el cielo viviendo en la tierra. En este libro van a encontrar lecciones de vida muy fuertes que se viven en una ruptura matrimonial. Cada etapa la viví, la sentí, la analicé y la trabajé emocionalmente hasta que sentí que la había sanado y la soltaba.

Unas lecciones fueron más difíciles que otras, pero me empeñe en mi sanación, no quería ser de esas personas amargadas, que andan llorando por la pérdida de un matrimonio en el que ya no podía ser feliz.

Me acuerdo de que, años antes, había leído el libro El Alquimista de Pablo Coelho, y recuerdo que el protagonista de la historia había hecho un recorrido por el mundo, y al final de la historia regresó al punto de partida. Así me pasó a mi tuve que regresar a mi, que era el punto de partida.

Recuerdo también de que un día iba caminando en la Universidad Autónoma de México y la veía y pensaba en lo mucho que me encantaba estar ahí, yo en el centro de mi ser sabía que había nacido para ser alguien grande, en ese entonces sentía la libertad y una plenitud en mi, algo me decía que no me tenía que casar y tenía que poner todo mi empeño para lograr todo lo que ambicionaba como hacer una carrera universitaria, ser independiente.

En ese entonces estudiaba y trabajaba, no sé en qué punto de mi vida se me olvidó, a l mejor fue cuando se atravesó el amor, ese amor que te hace sentir tan especial, y te hace perder la cabeza, te entregas y das todo... ¿qué es todo?, tu todo: tu tiempo, tus ideales, tus sueños, tu ser completo para llegar a tener una familia, al lado del hombre que amas.

Esa familia depende de ti en todo y no tienes tiempo para ti, para desarrollar tus ideas. Aun así, yo siempre trataba de escribir, leer un libro, ir a caminar, hacer ejercicio, para mantener mi yo interior y no deprimirme, por que en el fondo de mi ser sentía que me había traicionado a mi misma, y de repente todo se desvaneció, aquel ideal al que le aposté todo mi ser se vino a bajo.

Me veía sola, me sentía desvalorizada.

Tuve que trabajar mi dolor para llegar a mi punto de partida, mi yo. Mi encuentro conmigo fue como encontrar un tesoro que había enterrado y que daba por olvidado. Volver a reconocerme, sentirme, volver recuperar mis sueños y cumplir mis metas que estaban estancadas en obstáculos en el tiempo, porque siempre había prioridad para algo más importante que yo.

Tuve que sentirme tan sola y sentir la soledad al máximo, tanto silencio me asustaba, pero aprendí a escucharme en el silencio, a verme en la neblina de mis dudas e inseguridades, me di cuenta de que me caía bien, que me la pasaba bien conmigo, me di cuenta de que soy a toda madre. Pensaba en cuanto me gustaría tener una o un amigo como yo, que nos la pasemos a todas margaritas (bien) y me dije a mi misma: *"mi misma tu puedes ser tu mejor amiga, si aparece alguien, que bien y si no también, pásatela súper"*, y aprendí a ser mi mejor amiga, mi mejor aliada, me gusta estar conmigo y ser yo.

La vida me dio una nueva oportunidad para cumplir todos mis anhelos, estar libre. Esta libertad es maravillosa y tengo los brazos abiertos para abrazar todo lo que venga. Dios me ha dado la oportunidad de comenzar de nuevo, pero ahora con conocimiento de quién soy y qué quiero para mí.

TU MI GRAN MAESTRO

Hace años hablé con una señora especialista en sanaciones holísticas y me dijo que iba a tener una ruptura matrimonial, yo no lo acepte, pero la vida puso todo en su lugar y este matrimonio terminó. Me acuerdo de que en aquella ocasión me dijo que en la vida todo tiene sus tiempos.

Hay matrimonios que no son para toda la vida. Todo lo que tiene un comienzo también tiene un final. Ya había aprendido lo que tenía que aprender, reír y llorar.

Hay tiempos para reír y tiempos para llorar; así que mi recomendación cuando te toque reír es que te rías hasta saciarte y llénate el alma de felicidad, para cuando te toque llorar puedas soportar tanto dolor.

El fue mi mejor maestro me enseño amar; cuando quiso romper la relación hizo de todo para que me apartara de su lado y lo dejara de amar, cada golpe que me dio llegó al punto exacto, *"directo al corazón."*

Lo que había tenido que aprender ya lo había aprendido. Aprendí a amar, había tenido una familia maravillosa, unos hijos hermosos, que se parecen toditos a mí, fue una época de servir con amor a mi familia, les di lo mejor de mí, mi ser, esencia, alegría loca, tiempo completo.

Sufrí la pérdida de un gran amor, aprendí a soltar y dejar ir. Todo está escrito en el libro de la vida. Son tal vez, cuentas de allá arriba, cuentas del cielo. La mujer con la que hablé me dijo: *"él ha sido tu mejor maestro, te dio lecciones que nadie te hubiera dado, dale las gracias porque su papel en tu vida fue un acto de amor".*

Y yo atónita me dije: *¿Qué? ¿un acto de amor?* y ella dijo: *"Sí, porque en el universo no hay ni buenos ni malos, solo hay maestros que se cruzan en tu camino para enseñarte algo".* Yo tengo una frase muy mía *"No soy ni juez ni verdugo de nadie".* Hay misterios en la vida que no puedes entender ni explicar y este es uno de ello

TE DOY LAS GRACIAS A TI, MI GRAN MAESTRO

"Hoy, te doy las gracias a ti, mi mejor maestro, porque me enseñaste a ser fuerte, y no sabes cuan fuerte eres hasta que te ves luchando por tu vida".

Te solté por que no, ya no eras para mi, y regresé a mi, a ser quien soy, me gusto, me siento viva, feliz, me siento con unas alas tan grandes y bellas, que puedo volar sin ningún miedo, vuelo con toda libertad y disfruto el aire que pasa a mi lado cuando estoy planeando en las alturas de un cielo azul que no tiene límites, por que me tengo a mi.

Te doy las gracias por ser mi mejor maestro. "y por los años *de felicidad que compartimos juntos.*

A ti que leíste este libro te deseo suerte en tu nuevo camino.

BIOGRAFIA

María de la Luz Gutiérrez, nació en la ciudad de México, emigró a Estados Unidos hace 30 años, reside en la ciudad de Los Ángeles, California. Es madre de tres hijos. Estudió contabilidad, hipnoterapia, es empresaria además de escritora.

A raíz de sufrir una depresión crónica hace más de veinte años, tomó la decisión de estudiar técnicas de sanación holísticas y certificarse como Hipnoterapista. Para luego crear la línea de aceites para la belleza de la piel BlendEssence, un Elixir de Juventud.

Después de 30 años de matrimonio se enfrenta al golpe emocional del divorcio, que, según sus propias palabras "me desbalanceó emocionalmente hasta tocar fondo y perder mi identidad." Esto la inspiró a escribir su experiencia para apoyar a la gente que esté pasando por un proceso de divorcio, ya lo pasó, o está estancado en la indecisión.

María de la luz también es Directora de Relaciones Públicas y creadora del club del libro en Chicas Mom, Inc. una organización sin fines de lucro, que se dedica a empoderar a la comunidad hispana en Los Ángeles California Estados Unidos

El objetivo de María de la Luz es crear un despertar de conciencia especialmente en las mujeres, para que reconozcan su potencial, creen su independencia emocional y económica.

Puedes contactar para una consultoría personal y seguir las redes sociales para eventos especiales o preguntas:

elpoderdesanacionestaenti@gmail.com

BalanceEmocional1@gmail.com

Loslibroscambianvidas@gmail.com

Balancemocional_Hipnoterapia

Loslibroscambianvidas

Blend_Essence

BlendEssence

Los libros cambian vidas

Balance Emocional a través de Hipnoterapia

CONTENIDO

BIBLIOGRAFIA DE REFERENCIA

Rodolfo Gallo Pérez
Psicólogo Clínico, Psicoterapeuta cognitivo.

Mi mejor versión. YouTube channel Host by
Martha Debayle, invitados
Mario Guerra Psicoterapeuta y
Tere Díaz Psicoterapeuta familiar con especialidad
en terapia de pareja.

Beliefers. YouTube Channel
Es un espacio donde encontraras mensajes
positivos, inspiradores frases para la vida.

Paulo Coelho, Libro de El Alquimista

You can't afford the luxury of a negative though
by Peter McWilliams

Are you getting enlightened or losing your mind by
Dennis Gersten, M.D.

Hablan las paredes (TRED)YouTube

Elizabeth Gilbert´s memoir Eat, Pray, Love
chronicles the journey of
self-discovery

Parejas y vidas pasadas. Invitada: Maribel Pereira especialista en terapia de respuesta espiritual.

Pastor Freddy DeAnda
No luches por algo que Dios quiere que sueltes.

José Luis Rueda (CIRCA) ¿Qué está pasando con las parejas y matrimonios a nivel mundial?

YouTube Channel
Gerardo Amaro
La historia oculta de la energía sexual.

Aurelio Mejía Hipnosis Clínica
Regresión de vidas pasadas.

Matías De Stefano
Transformación a nivel planetario.

Lucia Martine
La mujer exitosa en AA.

¿Sabes que esconde una relación Íntima? Energías y sus consecuencias
Channel Poder del ser. YouTube Channel

Dios te habla escúchalo
Rhema Paraguay.

Kobe Bryant
Mamba Mentality
The Leap tv

The mind of Kobe Bryant
Piotrekzprod

Adicto a una mujer
Andrés Coate AA

Marie Curie
Documentary
Mr. Sizemik

Daniel Cerezo ¿Qué es la pobreza? El desafío de la vida en primera persona. TEDx El dorado.

La Biblia Latinoamericana

Made in the USA
Columbia, SC
26 November 2021

49594616R00150